新潮文庫

王の挽歌

下巻

遠藤周作著

新潮社版

5609

目次

王の挽《ばん》歌《か》

下巻

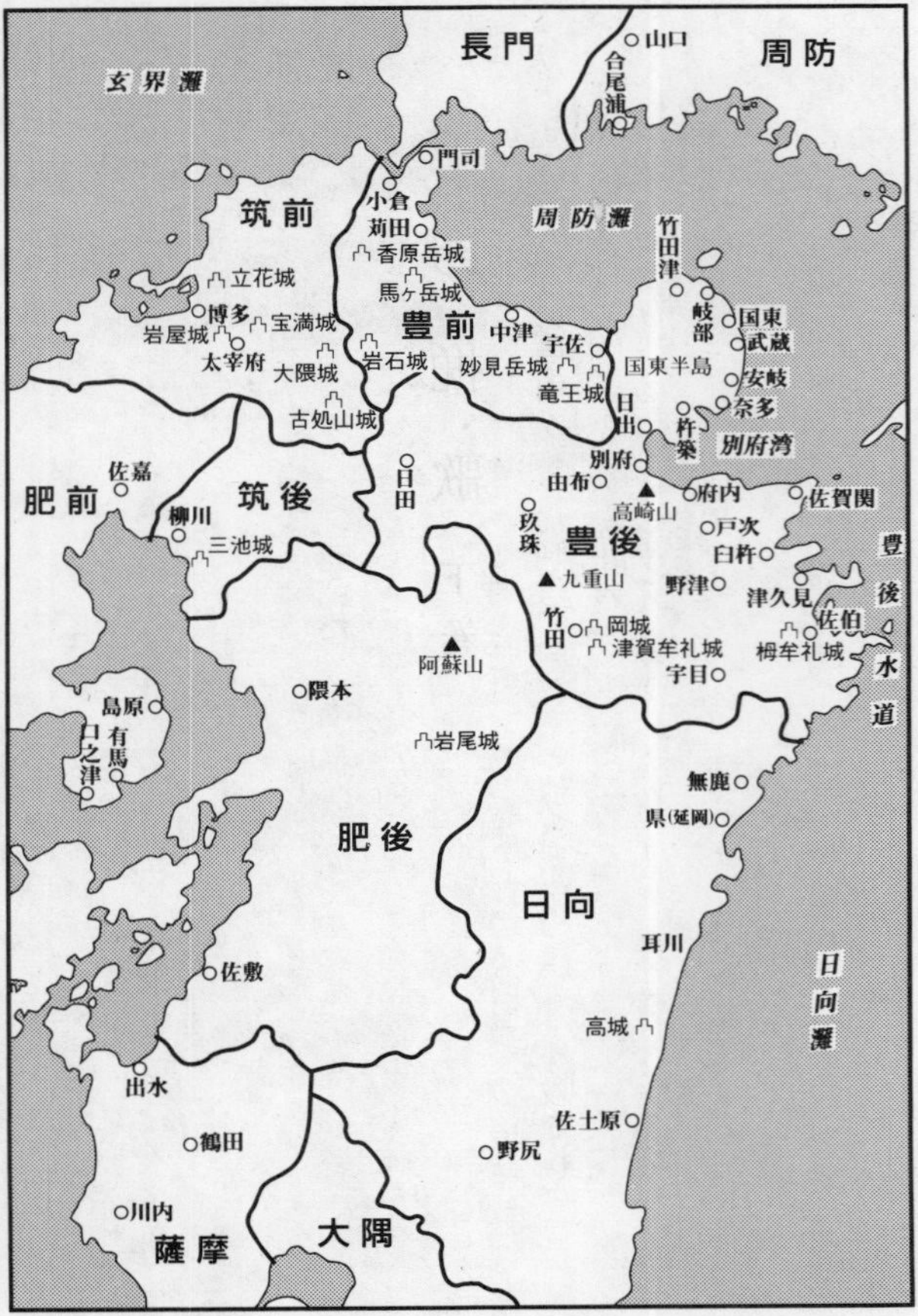

長門
山口
周防
玄界灘
合尾浦
門司
小倉
苅田
香原岳城
周防灘
竹田津
筑前
立花城
馬ヶ岳城
岐部
国東
博多
宝満城
豊前
中津
宇佐
武蔵
岩屋城
太宰府
大隈城
岩石城
妙見岳城
国東半島
安岐
竜王城
日出
杵築
奈多
古処山城
別府湾
別府
佐嘉
日田
由布
高崎山
府内
佐賀関
肥前
筑後
柳川
玖珠
豊後
戸次
三池城
臼杵
豊後水道
九重山
野津
津久見
竹田
岡城
佐伯
阿蘇山
津賀牟礼城
栂牟礼城
宇目
隈本
島原
岩尾城
有馬
口之津
無鹿
県(延岡)
肥後
日向
耳川
日向灘
佐敷
高城
出水
佐土原
鶴田
野尻
川内
薩摩
大隅

宗麟《そうりん》対島津義弘《よしひろ》

元亀《げんき》二年（一五七一年）。

宗麟をあれほど苦しめた宿敵の毛利元就《もとなり》が吉田《よしだ》・郡山《こおりやま》城で死去した。七十五歳である。

以後、数年間、宗麟にはもはや北からの脅威はなくなった。家督は嫡男《ちゃくなん》の義統《よしむね》にゆずり、臼杵《うすき》城に隠退したものの、実権は宗麟の手にあった。

「これまでの余はしばしば毛利狐《ぎつね》にあと押しをされた謀反《むほん》を鎮《しず》めるため全力を注がねばならなかった。されどそれら弓引く者は加判衆、同紋衆と他紋衆の力により誅殺《ちゅうさつ》された」

そのような意味の言葉を天正《てんしょう》元年の正月、臼杵城に参賀にきた諸将、重臣にむかって宗麟は語った。

「余を哀《かな》しめるものは去年《こぞ》に吉弘鑑理《よしひろあきなお》を失ったことである。豊前《ぶぜん》、肥前の戦《いくさ》において鑑理の尽忠はたとえようがない」

この日は風が少し強かったが快晴で、城を囲む海は白い牙《きば》のような波をたてて荒れていた。

「向後、余は国を富ますことに専心したい。そちたちもそれぞれの知行地を豊かにするよう心がけると共に、眼《め》を大友六ヶ国のすべてに向けよ。いや、大友六ヶ国だけではなく、海に向けよ、海の彼方《かなた》に向けよ」

宗麟はこのやや曖昧《あいまい》な言い方によっておのれの狭隘《きょうあい》な土地収益に汲々《きゅうきゅう》としている家臣団を戒めるつもりだった。

武辺者というより外交官や学者としての資質に恵まれたこのインテリの家形《やかた》は彼なりに家臣たちの伝統的な欠点を前から痛感していた。

「わが領国の者々はおのが甲羅《こうら》に似せて穴を掘る蟹《かに》のごとし」

とその頃《ころ》、彼はしばしば周りの若侍たちにそう語っている。

若侍の一人がその意味を問うと、

「蟹はおのれの穴にもぐろうとする。眼は穴の周りのわずかしか見ぬ。おのが領地、おのが知行地は文字通り命をかけて守るが、眼は遠くに及ばぬ。余は家形ゆえに領国の内のみならず、領国の外も知っておかねばならなかった」

と言い、昔、起ったひとつのエピソードを語った。

「余が少年の折、府内の沖に南蛮人の商人五、六人を乗せた唐の船が入ったことがある。余の父は唐人にそそのかされ、南蛮人を殺してその持参せる財宝を奪おうとなされたが、余は父上を戒め申しあげた」

若い侍たちには初めて耳にする話だった。事実、そのような出来事があったのか、それとも宗麟がこの話に托《たく》して今後の自分の考えかたを示したのか、彼等には遂《つい》にわからなかった。

同じ元旦《がんたん》に彼が同紋衆に語った言葉。

「余が今日まで心悩ましたものは家臣の謀反であった。一万田《いちまだ》鑑相《あきすけ》をはじめ小原《おばら》鑑元《あきもと》、秋月文種、筑紫《つくし》広門《ひろかど》など指おり数えれば十人をこす。しかしなかで二階崩れの変はわが父が逆臣に殺害されただけに生涯《しょうがい》忘れえぬであろう。その遠因は父が大友の家督をつぎ、叔父の菊池義武《よしたけ》がそれを恨みに思ったためである」

そして彼はしばらく間をおいて語った。

「されば嫡男、義統が大友の統領たる今、弟の親家がこれを妬《ねた》んではならぬ。兄弟の争いほど家門にとって危うきことはない。余は親家を僧侶《そうりょ》とするため、臼杵に寺を作るであろう」

それが元旦の酔語でなかったことは宗麟が実際に禅の師と仰いでいる大徳寺、怡雲和尚《いうんおしょう》を師として現在の臼杵市、諏訪《すわ》神社の東あたりに寿林寺という壮大な寺を建てたことでもわかる。建設の際、もちろん形だけのことであろうが宗麟は畚《もっこ》をかついで土塊《つちくれ》を運んだという。

「新九郎はこの寺にて修行致すのじゃ。怡雲和尚の教えをよく聞き、我らを悦《よろこ》ばす僧になるのが父と母との望みと思え」

彼は連れてきた次男の親家に教えた。新九郎とは親家の呼び名だった。

フロイスの報告によると、この親家は激しく激昂《げっこう》しやすい性格でもあった。彼は父に似ず書物を学ぶよりは「武器をとり、撃剣、相撲その他それに類した修錬に専心」（フロイス「日本史」）することを好んだ。

父に仏門に入れと命ぜられると親家は憂鬱《ゆううつ》な表情で眼をそらせた。激しい母から性格を受けついだ少年は、日の当らぬ寺のなかで坐禅《ざぜん》を組まねばならぬ自分を想像して嫌悪《けんお》の情が背に走るのを感じた。

親家は矢乃《やの》に相談に出かけたが、

「次男、三男が仏門に入ることは武辺の家では当然の話」

ときびしい母はぴしゃりと息子を突き放した。

「まして仏教徒の多き家中のためにも親家殿が喝食《かっしき》になられるのは悦ばしきこと。さればそなた一人のことではなく大友家中の安泰のためと心得られませ」

と矢乃は暗い眼で自分をみつめる親家にそう説教をした。

少年はやりばのない気持を乱暴を行うことで発散した。木刀を持って彼は臼杵の城下町にいる野良犬《のらいぬ》を叩《たた》き殺したり、同じ年齢の小姓に角力《すもう》を挑《いど》み、ひるむ相手に怪我《けが》を負わせている。

教育係の清田鎮忠《しげただ》は親家がなぜ荒れるのかが漠然《ばくぜん》ながらもわかっていた。

「新九郎さまは仏門に入り、仏僧になられるのがお嫌《いや》なのでございますな」

と彼は率直に問い、十三歳の少年の眼を見た。

「しかし、それを新九郎さまが申しあげてもお父上はお許しになりますまい」

「お母上も首をふられた」

「お父上さま、お母上さまが案じられておられるのは、新九郎さまがいつか義統さまと戦い、争われることでござります」

と清田鎮忠は宗麟の不安を説明した。

「では兄上のために、余は僧になるのか」

「さようでございます」

清田鎮忠は長い間、教育係としてそばにいただけに親家を贔屓《ひいき》していた。更に日頃から長男の義統を弱気で決断力のない青年だと考えていたから親家の不満がよくわかった。

「よい考えがございます」

と鎮忠は提案した。

「この儀、誰にも洩《も》らされぬなら申しあげます」

「言わぬ」

「お父上にこう話されませ、禅の教えよりは切支丹《キリシタン》に心が動くと」

親家は眼を丸くして清田鎮忠の顔を眺《なが》めた。

「切支丹に心が動くと？　されど余は切支丹については何も知らぬぞ」

「知る、知らぬなど問題ではござりませぬ。新九郎さまは幼少の折お父上さまに連れられて府内の切支丹寺に参られましたな」

「よう憶《おぼ》えておる」

「あの折から新九郎さまは切支丹に心を傾けられたわけでございますな」

清田鎮忠の口にうす笑いが浮かんだ。

当時、教会は府内だけでなく臼杵にもあった。臼杵教会は大友宗麟の寄附した土地と金とで現在の臼杵市畳屋町から掛町のあたりに建てられた。フロイスは「その建物こそ臼杵に名をなさしめ、この地のあざやかな美観と装飾となり、大勢の見物人を集めた」と書いている。

「そうか……わかった」

と親家はうなずいた。

この瞬間から親家は大人の世界に足を踏み入れた。謀略や策謀、偽善、嘘《うそ》にみちた大人の世界に……。

「切支丹になることは切支丹の坊主《ぼうず》として勤めることか」

「いや、違います。切支丹の僧は生涯、不犯《ふぼん》にして長年、修行せねばなりませぬが、俗人の門徒衆はただ水を額にかけられる儀式さえ受ければよき由《よし》にございます」

清田鎮忠は宗麟からも臼杵の教会の主任司祭に最近なった南蛮僧カブラル神父からも洗礼の話を聞いていたから、それを親家に説明した。

「するとその儀式を受けたあとも、今のごとき毎日を送ってかまわぬのだな」

話をきいて親家はほっとした。彼も大友家代々の次男に生れた者たちと同じく、自分がわずかな年齢の差で家形としての地位を与えられぬことを少年ながら不満に思っていた。清田鎮忠と同様、弱気で信念に欠けた兄への蔑《さげす》みの気持が心の隅《すみ》にひそんでいた。月に一度、彼は昔の宗麟と同じように同紋衆の談合の場所に連れていかれ、すすけた仏像のように並んだ無表情の重臣たちと対座させられた。

「日向《ひゅうが》にては伊《い》東義祐《とうよしすけ》の力はとみに衰え、薩摩《さつま》の島津方に傾く国人が次々とふえております」

加判衆を代表して田原紹忍（親賢《ちかかた》）が南の状勢を説明した。彼はこの頃、かつての健康的な青年の面影《おもかげ》を失い、老獪《ろうかい》な智《ち》慧《え》者《しゃ》に成長していた。長い間、臼杵鑑速《あきすみ》、戸次《べっき》鑑連《あきつら》、吉弘鑑理が三老として同紋衆を仕切った時代は終り、このところ矢乃の兄で大友家の寺社奉行だった田原親賢が側近の一人として擡頭《たいとう》しつつあった。吉弘鑑理が病死し、戸次鑑連は毛利側の万一の動きに備えて筑前《ちくぜん》側の防衛司令官となり転出したためである。

「既に禰寝《ねじめ》家、伊地知《いじち》家、肝属《きもつき》氏も島津側に調略された模様にございます」

毛利との戦がやっと鎮まると、今度は南の島津の動きが忙しくなっている。

しかし宗麟は楽観的だった。彼にはあの毛利狐の軍勢をさえ敗走せしめたという自信がまだ残っていて、

「まだ案ずるには及ぶまい。日向の伊東義祐を助けるにはそれなりの大義名分もいろう。戦は刀をとって争うことのみではない。将軍家、朝廷《みかど》との駆け引きもある」

とひとこと言った。

昔とちがって彼の発言には同紋衆たちをうなずかせる重みがあった。

談合が終ったあと、控えていた親家が挨拶《あいさつ》に書院にきた。宗麟は父親らしい笑顔で、

「親家。寿林寺に欠かさず通うているな。喝食たる身は本来ならば寿林寺にて他の僧と寝食を共にすべきだが、特に和尚に乞《こ》うて今は館《やかた》に住むことを許されている。されど、明年は我《わが》儘《まま》を捨てねばならぬ」

親家は眼を伏せたまま黙っている。その眼のあたりに矢乃と同じような強情さが漂っていた。

「嫌か。嫌でもいずれは僧になる身。修行は早ければ早いほどがよい」

「私は」

と親家は上眼づかいに宗麟の表情を窺《うかが》いながら言った。

「寿林寺に入りたくございませぬ」

「勝手は許さぬ、この儀は父のみならず一族同紋衆にて決めたことである」

「私は……」

と親家は唾《つば》を飲みこんで、

「切支丹の水を受けとうございます」

宗麟はもたれていた脇息《きようそく》から体を起した。

「切支丹？」

「さようにございます」

「唐突に何を申す。新九郎は切支丹などのこと何ひとつ知らぬではないか」

「何ひとつ知りませぬ。しかし昔、府内にて切支丹寺を訪れたこと、幼いながら憶えておりま す。幼いながらあの折に眼にしたこと、今でも心ひかれます、それゆえ、父上さえお許しくだされば寿林寺に参るよりは臼杵の南蛮寺に通いたく存じます」

親家は自分の口からなめらかに嘘が出てくるのに内心、驚いた。偽ったり欺《あざむ》いたりするのは何とやさしいことだろう。

宗麟もわが子の意外な発言に衝撃を受けたものの、悪い気はしなかった。

親家を寿林寺に入れようとしたのは長男、義統との間に将来、みにくい血肉の争いを起さぬためだった。しかしもし親家が切支丹に入り、その教えを真剣に受けるならば兄の家督を奪う企てや謀反は起すまい。

その上、宗麟自身、禅の教えを怡雲和尚から聞きながら、かすかな不満をおぼえるようになった。

坐禅によって宇宙と一体になる瞬間がある。小なる我が滅して宇宙と一体となる瞬間、それを悟りという。すべての執着、すべての煩悩《ぼんのう》はこの時、悟りを乱さない。

宗麟は怡雲和尚にたびたび問うた。

「御僧ならば終日坐禅をくみ常時不動の心を保つこともできようが、余のごとく六ヶ国の領主として生きる身に明鏡止水の心をたえず抱くことができるであろうか」

「山岳は嵐《あらし》にあうとも動じませぬ」

と怡雲和尚は強い声で答えた。

しかしその怡雲和尚自身にも激しやすい性格があって懈怠《けたい》した弟子に立腹することがしばしばあった。宗麟はそんな噂《うわさ》を耳にするたびに常時不動の心を怡雲和尚ほどの人にも保てぬ時があるのかと思い、かすかな失望を感じはじめていた。しかもそのうち怡雲和尚が烈《はげ》しい修行のせいかあらぬことを口走るようになり、時折、幻覚や幻聴に悩まされているという話も聞いた。

そんな折だったから親家の意外な申し出を宗麟もただちに退けず、

(それも悪くない)

と感じた。

「考えておく。ただ、この儀、母にはまだ語ってはならぬ」

と彼は親家にそう教えた。

同紋衆の談合で田原紹忍が不安がった日向の状勢が思ったより急速に悪化した。

日向の領主、伊東義祐は「島津など竹竿《たけざお》一本あらば追い払うてみせよう」と豪語していたが、その島津義弘《よしひろ》勢三百に伊東勢の主力三千が木崎原一帯で徹底的に撃破された。十倍の敵を潰滅《かいめつ》させたというような戦は信長の桶狭間《おけはざま》の戦のほか未聞である。

以後、一年の間、抵抗はほとんどむなしく伊東義祐は日向を捨てて豊後《ぶんご》に逃れ、臼杵《うすき》の宗麟に救援を求めた。

うち萎《しお》れた伊東義祐は頬《ほお》はこけ、顔色わるく、苦渋の色がその顔ににじみ出ていた。臼杵城の広間でその伊東義祐に謁見《えっけん》した宗麟はこの時、軽視していた薩摩の勢が侮《あなど》りがたいことを初めて知った。

同席したのは田原紹忍、朽網《くたみ》鑑康《あきやす》、田北鎮周《しげかね》などである。

「島津の戦法は少数の兵をもって味方を油断させ、伏兵を突如、放って攪乱《かくらん》致し」

と伊東義祐は宗麟の問いに苦しげに敗戦の模様を説明した。

「義弘は呪法者《じゅほうしゃ》を使《つこ》うて士気を鼓舞いたす名人にござる。祖父、島津日新斎より修験者《しゅげんじゃ》、僧らを細作、忍者として日向の隅々を歩かせ、調べに調べつくしたことも後になって、あいわかり申しました」

義祐の説明に宗麟は毛利元就《もとなり》にたいして抱いた恐れとは別の、一種、言いようのない薄気味わるさを感じた。

海に面した明るい豊後育ちの彼には薩摩大隅という国は同じ九州の土地にありながら得体の知れない暗い洞穴のようなイメージを抱かせる。本能的にこの国には手をつけず放《ほ》っておくほうがいいという気持がある。

眉《まゆ》に皺《しわ》を寄せている義祐の前で、その気分をうち消すように宗麟は、

「小手先き巧みな薩摩の兵法。豊後者は惑わされぬな」

とわざと笑い田原紹忍や朽網鑑康の顔を見まわした。

しかし夜になるとこの男の癖で、

「常時不動心」

と闇《やみ》のなかで叫ぶほど伊東義祐の日向逃亡は彼の心に衝撃を与えていた。

一五七六年、臼杵よりバプティスタ神父がマカオの友人のドリオ神父に宛《あ》てた書簡。

一五七五年の豊後における布教はそれまでの沈滞していた冬が終って、やっと春が訪れたという悦《よろこ》びを与えてくれました。

それまで豊後国王を悩ましつづけていた反乱がことごとく終結し、国王自身の威武が多く

の家臣の支持をこれほど得た時期は他になかったようです。

戦や災害が少くなると、それまですべての災は、基督教《キリスト》の宣教師や布教のせいだと人々の反感をあおっていた坊主も我々を誹謗《ひぼう》する口実がなくなり、そのせいか臼杵にある我々の教会を見物にくる日本人たちの数がふえて参りました。

臼杵の教会は国王が三千クルサードの献金を投じてくれただけに、ひくい藁《わら》屋根の日本家屋で埋った城下町では最も眼をひく建物のひとつとなりました。聖堂は瓦《かわら》ぶきの二階建てで尖端《せんたん》には十字架をつけています。

見物人たちは最初の頃《ころ》は教会の外に立ち、カブラル神父、フィゲイレド神父が誘ってもなかなか内部には入ろうとはしませんでした。

しかし勇敢な一人の女がその友だちと最初に内陣に足を入れ、ともっている蠟燭《ろうそく》の火や聖母マリアの像を見て感嘆の声をあげると、それを合図のように戸口から覗《のぞ》きこんでいた男女が我先きに雪崩《なだれ》こんできました。

国王も王子二人と重臣八人を伴い、教会《エクレシア》を見物にこられ、私たち宣教師を悦ばせました。彼は日本人の同宿（伝道師）ジョアン（如安）を通訳にしてイエスの生涯《しょうがい》について説明をうけ、

「近くわが娘たちにもこの美しい像を見させてやりたい」

と語り、事実、数日後その約束通りに王女三人が侍女たちをつれて見物に来たのです。

だがそれだけではありません。我々を狂喜させるような出来事が突然、起りました。

国王はカブラル神父宛に書簡を持たせ、その書簡には驚くべきことが書かれていました。それは国王の二番目の王子（訳者註＝親家のこと）が基督教の話を聞きたがっていること、そしてそれが彼を満足せしめたならば、彼は仏門ではなく基督教徒となりたいと考えている、という内容でした。そしてこの王子の希望はできうるならばわが子を血なまぐさい武士の生涯から引き離したいと希望している国王の意にも添うものだとも書かれていました。

この書簡を日本人の同宿ジョアンに飜訳させた時のカブラル神父の悦びはたとえようもありませんでした。

正直申してカブラル神父は私やフィゲイレド神父とちがい、日本人にたいし好意を持っていませんでした。日本人は狡猾《こうかつ》で虚偽を好み、残酷、冷血な面があり、基督教を利用して物質的利益を得ようとしているなど、彼は食卓や散歩の折、口をきわめてこの国の人間のことを罵《ののし》るのでした。

しかし、今度だけは神父は顔一面に笑みをうかべ、

「これほど悦ばしい神からの贈物を我々が受けないでいられようか」

と大声をあげたほどです。

私にも彼の気持がよくわかりました。国王の次男がもし洗礼を受ければ、迫害を受け屈辱を忍んできた豊後の教会《エクレシア》は新しい局面を迎えるからです。正直いってこれまで貧しい百姓や漁師たちが病気を治してもらいたいため、病気を治してもらった礼に洗礼を受けたようなあ

やふやな布教状況から私たちは大きく一歩、前進できるかもしれないのです。

なぜなら国王の子さえ基督教の真理を知り洗礼を受けたとすると、この事実は少くとも九州の六ヶ国——国王が現在、支配している六つの国々の仏僧や仏教門徒にどれほど大きな影響を与えるかしれません。彼等は今までのように我々の教えを邪宗だとか悪をもたらす邪法だと罵ることができなくなるからです。罵言《ばげん》や呪咀《じゅそ》はそのまま国王とその息子に向けられることになるのです。

カブラル神父は、

「政治的にもこの洗礼は必ず成就《じょうじゅ》させねばならぬ」

と我々に食卓でいい、

「神とその善きことのため政治的であることは決して恥ずべきことではない」

という彼らしい過激な言葉を口に出しました。


王子親家のための特別にやさしい教理の教え方がカブラル神父を中心にして相談されました。我々はこの王子が学問よりも武術や馬や闘技に熱中する少年で激しやすい性格だということを聞き知っていましたから、イエスの生涯を悪との闘いの面から彼に語ることにしました。そして基督教とは悪との戦いにほかならず、この戦いはこの世におけるいかなる戦争にも劣らぬ勇気と決意がいることを彼に伝えるつもりでした。つまり「戦いの教会」「戦いの基督教」を王子に語り、その戦士になるのが洗礼の誓いに他ならぬと伝えるつもりでした。

「しかし」

その時、日本人同宿のジョアンが心配そうにおずおずと、

「切支丹の教えは愛ではなかったでしょうか。イエスはみじめな我々の身がわりになるほどの愛の持主だったと基督教は教えているのではないでしょうか。それもやはり親家さまに話して差上げるべきではないでしょうか」

と口を入れた時、カブラル神父は非常に自尊心を傷つけられたように、

「愛のための戦のことを王子は結局は知るだろう。ものごとには段階がある。教理の教えかたもそれぞれ一人一人の性格にあわせて語るべきだ」

と大声をだし、食事が終ったあと、我々にだけ「日本人同宿をあおいう相談に加えてはならぬ」と命じました。カブラル神父はどうしても日本人を同格の地位にあげることが好きになれぬようでした。

約束通り王子の親家は我々の教会に近習の若侍たちをつれて姿をあらわしました。荒々しく馬を走らせ、人々があわてて道の隅《すみ》に難を避けるのをかまわず、教会の入口で馬から飛びおりると、大きな声で叫びました。

少年らしいと言えば許せますが、私には彼がこうやって外国人である我々に虚勢を張っているのだとしか思えませんでした。このような少年に哀《かな》しき人、心弱き人、心貧しき人たちのために愛を注いだイエスを語ることができるのでしょうか。

しかしカブラル神父は通訳の同宿ジョアンと共に親家を一室に入れました。どのような形で、どのような語りかけで神父があの如何《いか》にも生意気そのものの少年に教えを伝えたのか、わかりません。

彼等が引きあげたあと、夕の祈りがあり、それから食事時間になりました。カブラル神父は日本食を拒み、一人、ポルトガル風に煮た魚をたべていました。

「王子はよく聴きましたか」

と私たちがたずねるとカブラル神父は、

「彼は純情だ。私が聖ステファノが敵のため石打ちの刑にあって殉教した場面を話すと顔を紅潮させ、手を握りしめて、自分がその場に居あわせていたならば、敵たちにそのような無法を許さなかったと言った」

と答え、

「それで私はイエスの死について語った。イエスが処刑される時は、弟子の一人もその臆病《おくびよう》さのため味方になるのを避けた、と。彼はますます憤激し、自分が洗礼を受けていたならば、そのような卑怯者《ひきようもの》にはならなかったろうと言った」

私は満足しているカブラル神父に言いようのない不安を感じました。神父は王子の心をひくために基督教の本当の教えとは少し離れたのではないか。今の話で大事なのはイエスが臆病で卑怯な弟子たちをも愛し、更にその弱かった彼等がやがてステファノのように殉教するほど強くなったことなのです。そのことにカブラル神父は触れなかったようです。
ともあれこうした経過をへながら三ヶ月後、まったく短い教義の講義で王子親家は洗礼を受けることになりました。

十一月、臼杵の教会で彼はひそかに洗礼式を受けました。
ひそかにそれが実行されたのは、もちろん臼杵に住む仏僧――特に怡《い》雲《うん》和尚《おしょう》たち――や仏教徒を刺激しないためでしたが、それよりも国王の妻（我々は彼女を怒れるイサベルと呼んでいます）への配慮でした。

この日は寒く、沖では白い牙《きば》をむきだして海が荒れていました。王子は我らの教会にごくわずかな供をつれてあらわれました。

カブラル神父がラテン語の祈りを唱え、洗礼の水を少年の額にそそぎ、聖油で十字のしるしを行い、手に蠟燭を持たせた時、入口の扉《とびら》が軋《きし》む音がしました。

国王とその供三人でした。

雪がふりだしたのでしょうか。国王の肩に白いものがうっすらと残っていました。

驚いている我々にむかって国王は微笑し、手で式を続行するように合図をしました。そしてまるで信者のように式の間跪《ひざまず》いていました。

カブラル神父を非難するわけではありませんが王子に洗礼を受けさせるために彼は急ぎすぎました。

基督教が欲していることは愛であって憎しみではありません。日本人たちがこれまで信じている仏教や神道の誤謬《ごびゅう》を指摘するのは彼我の宗教の是非を日本人に知ってもらうためであって、どちらを選択するかの自由は日本人に残っている筈《はず》です。にもかかわらず基督教の歴史のなかには我々の十字軍の汚点にみられるように異教徒ゆえに攻め、その国の土地を奪うこともあまた行われてきました。私にはあれは基督教徒的行為とは思えないのです。

カブラル神父がこの点をどのように王子に教えたのかはわかりません。

おそらくそれは神父の本意でなかったことを私は願うのですが、王子は早まった軽率きわまる行動を洗礼後、はじめてのクリスマスの夜に行ったのです。

彼はクリスマスの夜のミサにあずかるため、側近をつれて臼杵を出ました。ちょうど雪が夕暮からふり始めていました。

自分の信仰の強さを証明するためか、この興奮しやすい少年は、同じ年齢の側近たちに、

「汝《なんじ》らも洗礼《バプティスマ》をうけよ」

と命じ、寝しずまって深閑とした府内の街に入ると、

「寺をこわせ。寺は悪魔の住む家である」

と叫びました。

命ぜられた側近の少年たちは争って寺の破壊にかかりました。破壊していくうちに彼等は更に興奮し、倒錯した正義感とこの暴力とを同一視して、

「我らは正しき教えに従うのだ」

とあわてて飛び出してきた僧たちに拳《こぶし》をふりまわし、

「去れ、ここより立ちのけ」

などと罵ったのでした。

この夜に彼等が引き起した行動はカブラル神父の願っていたことと全く正反対の結果を生みました。

国王の第二王子まで洗礼を受けたという事実によって基督教の普及を許ろうとした神父の希望は裏目に出ました。

府内の仏僧たちはただちにこの出来事を国王とその妻とに訴え出ました。

国王夫人がいかに激怒したかは言うまでもありません。我々には詳しいことはわかりませんが国王夫人を中心に基督教に反対する重臣や高僧たちが集り、王子の洗礼を許した国王の軽率さを非難する態度をみせました。

外敵をようやく制圧して一息を入れた国王にとり、また悩まねばならぬ問題ができたようです。

彼がどのような決意をするかはまだ我々には摑《つか》めません。仏教徒の力に押されて私たちに国内からの退去を命じるかもしれません。

臼杵の教会には投石する日本人の数がふえました。塀《へい》の外に来て罵声をあびせる者もいます。それらはおそらく国王夫人という隠れ蓑《みの》を持った連中なのでしょう。たびたび報告したように国王が順応主義者であり、状勢によって態度をかえる御都合主義者——よく申せば狡《ずる》い政治家であることは私たちもよく存じています。

それだけに私は彼が家形としてではなく、一人の素裸の人間として、個人としてどういう行動に出るのか関心を持っています。もちろん私たちは朝のミサの折、彼が「本当に生きる」ことを見出《みいだ》すよう祈ってやまないのですが……

遠い太鼓

「豊後《ぶんご》勢は必ず攻め参る」

とこの時、島津義久《よしひさ》の弟である、島津義弘《よしひろ》は家臣たちに厳しく言いわたし、

「その戦こそ薩摩《さつま》の存亡を決めるであろう」

と語った。

日向《ひゅうが》を奪えば、大友宗麟《そうりん》が黙ってはいないことを義久はよく知っていた。第一、義弘が日向から追い払った伊《い》東《とう》義祐《よしすけ》は宗麟の外戚《がいせき》にあたる。そして日向はある面で大友家の保護国とも言ってよかった。

その保護国をとられて宗麟が黙っている筈はない。遅かれ早かれ、彼は大軍をさし向けてくる。それは義弘にとってほとんど確実なことに思えた。

義弘は幼少の頃《ころ》から武勇を好み、厳冬でも庭先においた木刀や槍《やり》を早暁《そうぎょう》から霜をふんでふりまわし、夏も炎暑を冒し大太刀をふるい、山野に狩猟に出かけるなど、体を鍛えに鍛えた。その点、病弱な大友宗麟とは肉体的にも対照的である。

この少年時代、祖父の島津忠良《ただよし》から兵法を習った。忠良は日新斎と号し、真言密教にも通じていたから、義弘の戦法には呪術《じゅじゅつ》的な要素が濃い。

たとえば日向の伊東義祐を攻める時、義弘は修験者《しゅげんじゃ》あがりの武将に伊東調伏《ちょうぶく》の儀式を行わせ、領内の社寺にも同じ調伏を行わせている。

義弘の好んだ兵法は色々あるが、野伏の法といって伏兵を配したあと攻撃をしかけ、敵をこの伏兵の前に誘いだす戦法、次に主将の旗印《はたじるし》を立て、まっしぐらに相手の旗本に切りこむ穿打《うがちぬ》の戦法——この二つが義弘の最も得意な戦術だった。

軍団は一言でいうと非常に組織化され、兵もまた精悍《せいかん》だった。足軽を除く士分の家臣には二十匁《もんめ》丸の鉄砲を持たせて、鉄砲や火攻めの訓練をさせ、毎年、五度は調練を課した。

面白いのは軍役の際、士分の者は知行地のうち田一町の単位で主従二人と兵糧《ひょうろう》を持参させるほか、普請《ふしん》道具を用意することを命じた点である。その普請道具とは鍬《くわ》、斧《おの》、鎌《かま》、鋸《のこ》、鑿《のみ》、鉈《なた》、畚《もっこ》、縄《なわ》をそれぞれ一つずつ、また六尺の立木も含んでいる。

こうした島津軍の本質を一言でいうと、常時から戦闘のための鍛錬を怠らぬ文字通り精鋭教育をうけた兵団だったといえる。

(やがては大友宗麟と戦うことになる)

義弘はそう決意すると、ただちにあまたのスパイが日向から大友領内に送りこまれて、宗麟の武力、戦術、領国の内情を次々と報告させた。

やがて集った報告は義弘に自信を与えるようなものが多かった。

それは大友領内ではたしかに宗麟の存在によって一応は統一されてはいるが、しかし宗麟の切支丹《キリシタン》保護政策が仏僧や仏教信徒の家臣たちの不満不平と嫌悪《けんお》をひき起し、特に切支丹嫌《ぎら》いの宗麟の内室を中心に反切支丹派が作られて、それがいつ爆発するかもしれぬ、というものだった。

「やはり南蛮の切支丹たちを去らしめたがよかった」

と義弘は吐息をついて側近に呟《つぶや》いた。

というのはフランシスコ・ザビエルが弥次郎《やじろう》という鹿児島の青年とはじめて日本に上陸をしたのは義弘の父、貴久《たかひさ》の時代だったが島津家は大友宗麟のようにこの切支丹に積極的な援助を与えることを控えた。領内における仏教徒の反撥《はんぱつ》が大友領と同じくあまりに強かったからである。ザビエルもまた都に上ることに関心があったから鹿児島に強固な橋頭堡《きょうとうほ》を作らずに去った。

「豊後の坊主《ぼうず》（宗麟のこと）殿はなにゆえ、領国家中をかき乱すことを致すのか」

と義弘はうなずき、

「かようならば大友は戦うても必ずや隙《すき》ができる」

と自分自身を励ますように呟いた。

正直いって義弘は無意識のうちに宗麟にたいして劣等感を持っていたのである。

その劣等感の最たるものは宗麟が何といっても六ヶ国の守護職だという点だった。言いかえれば宗麟は義弘には不可能なほどの大軍を動員できるのである。島津の兵は精兵でもやはり怒濤《どとう》のような大軍を相手にすれば歯がたたぬことを義弘自身は知っていた。

義弘の戦術は二つしかなかった。

一つは二口作戦――つまり大友領国を二つの国境から挟《はさ》みうちにすることだ。中国の毛利を同盟軍として北と南で戦わせ、その軍団を分断することである。

もう一つは乱破《らっぱ》を放ち宗麟の領内の対立を助長する方法である。すなわち仏教門徒の家臣の宗麟にたいする不平不満を更に起させ戦意を弱めることである。

この時期、義弘が見ぬいたように宗麟を困惑させた国内問題は相も変らず仏僧と仏教徒の家臣たちの切支丹への憎しみだった。

「なぜ、国の外に眼《め》を向けぬのか、おのれの小さな土地にのみ執着するのか」

と宗麟は重臣たちに自分の考えを説明した。

「余が南蛮僧とその説法を許すのはわが領内がたち遅れぬためである。沖の浜に訪れた南蛮船ひとつを考えてみよ。彼等の運んで参った品々のことを思え。心から南蛮の国々より我らが勝ると言いきれるか。鉄砲といい大筒《おおづつ》といい、我らの弓矢ではとても勝てぬことは誰の目にも明らかである」

そして宗麟は宣教師たちが教えてくれたスペインやポルトガルの東洋進出がやがて九州にも見舞うかもしれぬと語った。

「そのためには我らは備えておかねばならぬ。南蛮の国々は切支丹に非《あら》ざる国々を属国に致すため兵を送りつつありと聞く。かかる非常の折に僅《わず》かな知行、僅かな土地のことのみに汲々《きゅうきゅう》と致すほど愚かな所業はない。海の外に眼を向けよ」

評定の折に宗麟がそんな意見をのべても同紋衆も加判衆も仏像のようにおし黙っているだけだった。

宗麟の考えは重臣たちに何の実感も与えなかった。彼等にとって異国とはさしあたって他の大名の領国であり、抽象的に考えればかすかに唐《から》、天竺《てんじく》、朝鮮が浮かびあがるだけだった。そういう国々のもっと遠くにある夷狄《いてき》が日本に攻めてくるなどというのは南蛮僧たちがお家形《やかた》に吹きこんだ戯言《たわごと》――そのような程度にしか思えなかった。

「海の外と申されまするが」

と最も烈《はげ》しく反対するのは妻の矢乃《やの》だった。

「お家形さま、御領内のことをまずお考えくださりませ。毛利は元就《もとなり》を失うても、いまだに筑前《ちくぜん》、豊前《ぶぜん》をひそかに窺《うかが》っております。島津とても日向に攻め入り、いつ戦を仕かけて参るかもわかりませぬ。この九州のすべてを大友家の領土となされてから、海の外をお考えになるならば兎《と》も角《かく》、火がまだくすぶっておりますのに眼を外に向けよと申されても、家中一人として耳など傾けませぬ」

矢乃の言葉には夫の甘さにたいする冷笑や侮蔑《ぶべつ》、それに苛立《いらだ》たしさのすべてがまじり、宗麟の心をふかく抉《えぐ》った。

「政《まつりごと》のことに口を出すではない」

「女が口を出してはならぬことは矢乃もよく存じております。しかし、その女の愚かしい頭でも見るに見かねる時もござりましょう。家のなかが燃えるやもしれぬのに、外の火事に気をつけよと主人が申せば、いかなる女房も黙ってはおりますまい」

矢乃の言いかたは彼女の気性の烈しさをむき出しにした痛烈なものだった。宗麟の額に青すじが立ち、必死で怒りを抑えているのをこの頃、側近たちはたびたび目撃している。

夫婦の間に細やかな愛情やいたわりが全く失《う》せたのは誰の眼にも明らかだった。臼杵《うすき》城内ではお家形さまと御正室との間ではまったく往来《ゆきき》が途絶えているという噂《うわさ》が何かにつけて皆の口から出るのだった。

かつて宗麟は矢乃の住む建物を訪れ、茶を喫することもあった。共に和歌を詠ずることもあった。月見の宴を楽しむこともあった。

しかし矢乃が宗麟の女の家に火をかけてからは宗麟は妻を避けるようになった。何を語っても無駄《むだ》だという苦い諦《あきら》めが宗麟の心に拡《ひろ》がっている。

彼が自分の考えをのべ、それを眼を赫《かがや》かせて聴くのは側《そば》にいる小姓や近習、あるいは一族のなかの若者たちだった。

若いだけに彼等は豊後の古い暗い風習や息のつまるような閉鎖性に反撥を持っていた。それだけに宗麟から「海の外にも眼を向けよ。南蛮の国々に追いつかねばならぬ。宣教師たちを邪教を広める徒と思うな。あの者たちから我らが知らぬ国々の有様など充分にきくがよい」と教えられると、その声は新鮮な魅力あるものに響いた。

宗麟もそういう若者を臼杵の教会に行かせ、カブラル神父やバプティスタ神父に接しさせた。

カブラル神父は体も丈夫ではなく、神経質で、一般日本人を見くだす傾向があったが、しかしたしかに頭のいい男で、しかも考えかたに政治的な面があったから宗麟が送ってくる貴公子たちには積極的に接した。

彼はこういう大友家中の若い家臣がやがて古い保守的な重臣たちにかわって国政に革新を与えることを期待していた。

宗麟のひそかな援助でカブラル神父は数人の若者たちと集会を開くようになった。それぞれの若者はやはり同じぐらいの年齢の供をつれてきたから、彼等が集る時、臼杵の教会のなかは若い男たちの精気と臭《にお》いで充満した。

切支丹の教えもさることながら若者たちが好んで聴きたがったのは海の外の事情だった。

南蛮と自分たちが思いこんでいた国々の驚くような文明だった。

カブラル神父は世界の地図を壁にかけ、自分が日本まで渡った航海について話をした。ヨーロッパからアフリカの喜望峰を迂回《うかい》して印度にたどりつき、更にマカオやマニラに赴いたという大航海の経験は若者たちを茫然《ぼうぜん》とさせ、それに耐える航海術や帆船の話も彼等を驚嘆させた。

狭隘《きようあい》な土地や狭い入江しか見たことのない彼等は眼前に立っているカブラル神父に接することでその話が嘘《うそ》でないことを信じた。

（お家形さまが海の外を見よ、と申されたことは真実《まこと》であった）

幕末、明治の若者と同じ高揚した興奮が臼杵という小さな城下町の青年たちに拡がった。

青年たちのなかにはもちろん洗礼を受けた親家もまじっていたが宗麟の娘の婚約者である田原親虎《ちかとら》も座のなかに坐《すわ》っていた。

親虎はその姓のごとく国東《くにさき》の田原親賢《ちかかた》の養子である。今は親賢という名を改めて紹忍と名のっている矢乃の兄は七年前に京都の公卿《くぎよう》、柳原家から養子を迎えた。

公卿の血をひくこの養子、親虎は美しい顔だちだけではなく謡《うたい》、絵画、書道、剣術においても多角的な才能をみせて周囲を驚かした。

矢乃がまずその青年に眼をつけ、娘と婚約させた。

聡明《そうめい》なこの青年はカブラルの話を通して世界で今、起りつつあることの一端を知った。

西洋人的な、あまりに西洋人的なカブラル神父は注意ぶかく集ってくる青年たちに西欧の東洋植民地政策にふれることは避けたが、それらの文明の進んだ国がすべて基督《キリスト》教国であると言うのは忘れなかった。

集りが終ると親家や親虎やその他の貴公子たちは馬を従者にひかせ、夜の臼杵の浜に行き、そこでも押し寄せる波を見ながら議論をつづけた。

「古きものは新しきものに改めねばならぬ。御重役たちは眼を領内に向けられて他を忘れておられる。豊後だけがすべてではない。この九州をもって一国となし、九州をエスパニヤ、ポルトガルの如《ごと》き大国に致すべく、南蛮の文物をとり入れて開発致さねばならぬ」

論は果しなく続いて終ることがなかった。月光をあびた海はたえず波を浜にうちかえしていた。特に性格の激しい親家は石を拾ってその波間に投げ、

「われらこそ、次の豊後を担《にな》う者ぞ」

と叫んだ。温和《おとな》しい親虎は膝《ひざ》をだいたまま友人たちの激しい希望にみちた議論をきいていた。親家とちがって彼は激情を表にあらわすことを好まなかったが、しかし強い意志と信念を内にひめて思慮ぶかかった。

彼は京都からこの九州の国東や府中や臼杵に来てみて、この土地の人々の家門意識や祖先伝来の土地への愛着――つまり郷土意識の強さに驚愕《きょうがく》した。しかしその郷土意識の強靱《きょうじん》さがかえって彼等を閉鎖的にして新しいものへの好奇心を失わせていることにも気づいた。

幕末や明治初期の青年たちと同じように臼杵の基督教会は彼等――親虎にとっても新知識吸収の場所であり学校であった。

それらの驚嘆すべき文明を生んだ人間たちが切支丹なる宗門をも信じている――

この確然たる事実は親虎をして基督教への興味関心を惹《ひ》き起させた。

カブラル神父も親虎が核心をついた質問をしてくるので、彼特有の野心――宗麟の義理の甥《おい》になるこの貴公子を切支丹の世界に引きこむこと――を刺激され、懸命に話をした。

「殿下たちが切支丹を知ることはおのれの心の救いのみではなく、領主としての民を治めるあり方、領主としての国の扱い方、領民の遇しかたも学ぶことでございます」

「と申されると切支丹になるとは仏門のごとく世俗世塵《せじん》を捨てることではないのか」

「世俗を捨てることではござりませぬ。むしろ俗に生きることと申せましょうか。さればわれら神父《パードレ》、修道士《イルマン》も仏僧のごとく世俗から離れた場所ではなく、病者や貧しき者の住まう場所に住むのでございます。世俗を捨てるのではなく、世俗をきよらかに致すのでございます」

親虎はカブラルのこの言葉に深い感銘をうけた。

そして彼はこの言葉を親家だけでなく、宗麟に青年たちが呼ばれて茶を賜った折に披露《ひろう》をした。

「世俗を捨てるのではなく、俗に生き世俗をきよらかに致す――そう神父《パードレ》は申されたのか」

「はい」

この頃《ころ》、宗麟は一層に茶道に傾き、高価な茶道具を集めていたが、その茶碗《ちゃわん》に湯を注《つ》ぎながらこの言葉を心のなかでくりかえした。

「その言葉通りならば、家形であることと切支丹であることは必ずしも相反せぬな」

「そのように思いました。カブラル神父はこうも申されました。天は神の理によって営まれている、その神の理を領主たるものは政《まつりごと》によって具顕致すべきである」

ザビエルも語らなかったことをカブラル神父は親虎に教えた。一瞬だが宗麟は禅などで学びえなかった壁が一挙に崩れて視界に広大な青空が覗《のぞ》いたような気がした。

「それで……親虎は切支丹の水を受けるつもりか」

「ただ今、思案致しております」

と親虎は悪びれず答えた。

その時、茶杓《ちゃしゃく》を持った宗麟の手がかすかに震えた。他の宣教師たちが聞かせてはくれなかった切支丹の考えをカブラル神父は語ったのだ。

「俗に生き、その俗をきよらかに致すこと」

と彼は茶杓から手を離さず心のなかで呟いた。釜《かま》から立ちのぼる湯気が沈々と茶室の静かさを更に深めた。

「お家形さま、そのような場所を御領内のどこかにお作りになりませぬか」

と親虎はこの青年には珍しく上気した顔で言った。

「山紫水明にして戦もはやなく、人心、和《なごや》かに天を尊び、道を守り」

と彼は朗唱し、

「我らは悦《よろこ》んでそのごとき場所を探して参りますが……」

と言った。

瞬間宗麟の心にうかんだのは府内の教会に嫡男義統《ちゃくなんよしむね》を連れて赴いた時、はじめて耳にしたあのビオラの旋律だった。雅楽や俗謡の節に聞きなれた宗麟はその折、少年たちの奏する音曲に衝撃をうけた。天の旋律とさえ思えたのである。

彼はかつてこれほどきよらかで、これほど荘厳な音色を知らなかった。一夜、音もなく降りつづける雪、その雪のように人間のすべてよごれたもの、すべてよごれた地を純白に浄化する。

「これは何か」

とその時、宗麟は宣教師の一人にたずね、

「ムジカにござります」

と宣教師は答えた。その時のことを思いだし、

「もし」

と宗麟は上気した親虎の顔を見ながら言った。

「汝等《なんじら》がそのごとき地を見出《みいだ》したならば、その場所をムジカと名づけよう」

と親虎は臼杵城の真下にある田原紹忍の邸《やしき》で養父の前に両手をつき、その目を直視して言った。

「父上にお願いがござります」

「切支丹《キリシタン》になりたく存じます」

「親虎がか」

紹忍はふしぎそうにこの聡明な青年をみた。彼は親虎の容貌《ようぼう》も才能もそして礼儀正しき立居振舞もすべてを愛していた。

突然、思いがけぬ言葉を聞いた時、紹忍は驚きもせず、反対もせず、むしろ不審な気持だった。現実感が伴わなかったからである。

「それを……お家形さまには申しあげたか」

「思案中とは申しました。しかし何よりもまず父上のお許しを第一と存じ……」

そういう筋目を通すところがこの青年のよさだと紹忍は機嫌《きげん》をなおした。

「しかし……そちは大友家の御息女の婿《むこ》ともなるべき者ではないか。切支丹になるということはそちにとって刀や衣服を変えることとは同じではない。わけを申せ」

親虎は革新政治のことを話した。既に中央では足利《あしかが》将軍家の権力は終り、織田《おだ》信長という男が天下布武を旗じるしにして日本の統一を企てている。京都の公卿育ちの親虎には時代の変容が感じられると言った。

その大事な時、九州だけが旧態依然たる状態にある。この際、視野を日本だけでなく南蛮にまで拡げるためには、切支丹国という先進国に学ばねばならない。

平生は温厚な親虎がやや気おった口ぶりでその考えを吐露するのを養父の田原紹忍は驚きを感じながら聞いていた。

紹忍は親虎の気持がわからなくはなかった。しかし彼のなかの現実主義がそれを許すことを妨げた。

紹忍の頭にまず浮かんだのは妹ではあるが宗麟の正室でもある矢乃の存在だった。彼女がその娘の婚約者である親虎の改宗に猛然と反対することは疑いなかった。

「そちが大友家御息女の婿たるべき者であることをどう考える」

「さればその儀につきお家形さまにお許しを頂きたく、お父上にお願い申し上げているのでございます」

「ならぬ」

と紹忍は首をふった。

「なぜでございます」

「お家形さまは兎《と》も角《かく》、今は大友家の奥の方になるわが妹はこれを許さぬであろう」

「しかし親家さまは切支丹になられております。奥方さまも今はその儀につき、眼《め》をつむっておられます」

それは事実だった。烈《はげ》しい性格の親家は母親の矢乃の反対や怒りを無視して公然と臼杵《うすき》教会に通っていた。

それを指摘されて受け身になった田原紹忍はやむをえず、これを妹に相談に出かけた。

だが話の途中から矢乃は烈しく怒った。彼女は宗麟にたいする恨みと次男の親家への不満のすべてをこの問題に叩《たた》きつけてきた。

「親虎の理不尽な振舞決して許しませぬ。これは大友家のみならず、奈多《なだ》神社を崇《あが》め続けて参りましたわれら一族への裏切りでございましょう」

幼い時から兄にたいしても臆《おく》せず物を言う妹の性格を紹忍は熟知していた。

「もし兄上が親虎の我儘《わがまま》をお許しになるならば、わが娘との婚儀もとり消し、兄上とも縁を切らさせて頂きます」

矢乃の怒りの烈しさは兎も角、彼女の言い分はそれなりに筋が通っていた。紹忍はまた自分が矢乃という後楯《うしろだて》を持っているからこそ、大友家の家老職として地位を保っていることを知っていた。彼は親虎の考えを改めさせることを妹に約束した。

豊前《ぶぜん》、妙見岳城は現在の大分県宇佐郡院内町にあって、当時、田原紹忍の所領地になっていた。

城といっても柵《さく》を囲《めぐら》したなかに小屋のような建物が幾つか傾斜きびしい山の斜面に建てられているだけである。毛利の蠢動《しゅんどう》があった頃はまだ警戒にあたる部隊が駐屯《ちゅうとん》していたが今はほとんど放擲《ほうてき》されて建物も腐りかけている。

その傾きかけたような建物の一つに親虎は幽閉された。

一日中、彼は十人ほどの兵士に監視され、行動を制限されていた。皮胴をつけ、薙刀《なぎなた》を手にした兵たちは暗い屋内で正座している親虎を何か異様なものでも見るように遠くから眺《なが》めていた。

親虎はカブラル神父から聞かされたイエスの生涯《しょうがい》やさまざまな教えの話を——とりわけイエスの受難を考えつづけた。

「心素朴《そぼく》な者は幸いである。今、泣く者は幸いである」

「わがために人々が汝《なんじ》を憎み、汝を追いだし、罵《ののし》る時、それは幸いである」

彼にとってもう一つの救いは都から伴ってきたただ一人の召使だった。

勇敢にもその召使はひそかにカブラルが親虎の安否を知るために送った日本人の同宿（伝道師）と連絡しあい、カブラルの手紙と日本語に訳された殉教者の生涯の冊子を親虎に渡してくれた。

「ただ今のお苦しみはやがて天上において大いなる悦びにかわります。それを思い、ひたすら忍ばれますように。

あなたさまの御養父、紹忍さまは私たちの教会に次のような申入れをなさいました。つまりあなたさまが切支丹になられて田原家を継がれれば、やがて豊前の御所領の神社仏閣はうちこわされ、祖先伝来の祭も途絶えるであろう。それは田原家と領内にとって大いなる不幸であり、各地に謀反《むほん》をひき起すかもしれぬ。それを考えて田原家のために親虎《ちかとら》が切支丹になることはやめさせてほしいという内容でした。

私は次のように返事を送りました。

都において今、最も権力をえている織田信長はこれまで多くの寺を破壊しました。しかしそれによって彼は破滅するどころか、逆に大いなる力をえておりませぬか、と。

紹忍さまはこの返事以後、沈黙されております。主はきっとあなたをお助けになりましょう。それを信頼なさってください。信仰とは大いなるものへの信頼なのですから」

カブラルの手紙の一語一語が暗い湿った部屋のなかで孤独な親虎の心にしみた。彼はそれを何度も読み、何度も心のなかで噛《か》みしめた。

この間、臼杵にあって宗麟はたびたび鷹狩《たかが》りに出るようになった。

鷹狩りはもちろん口実だった。彼の本心は親虎事件に巻きこまれたくなかったのである。

紹忍はともかく矢乃はしばしば城内にあってあの侍女を使いとして宗麟に面会を求めた。

「奥方さまが……お目通りをと申されておられます」

そのたびごとに女の眼に許しを乞《こ》うような哀《かな》しそうな色がみちた。その哀しげな眼から宗麟は自分にたいする同情と憐《あわ》れみを感じとった。

それはまた彼に幼年時代の母の指を思わせた。自分をいたわってくれた母の指先の感触を宗麟はこの歳《とし》になってもまだ憶《おぼ》えていた。

矢乃は宗麟のいる書院に姿を見せると、容赦ない非難の言葉をあびせ、親虎の非はすべて切支丹の布教をゆるした宗麟から来ているとまで言った。

宗麟はほとんど沈黙して彼女の言葉に耐えた。口を開かないのは何か釈明すると矢乃がその言葉尻《じり》をつかまえ、更に烈しく激昂《げっこう》するからである。

そしてそんな時にはあの侍女がうつむきながらまるで石像のように坐《すわ》っていた。しかし、その背中には宗麟への同情がにじみ出ているのがよくわかった。矢乃の非難の鞭《むち》が宗麟にあびせられるたび、彼女の体はかすかに震えた。

宗麟は矢乃が目通りを求めるたびに鷹狩りを口実にした。

だが鷹狩りのために臼杵ちかくの津久見《つくみ》に馬で出かけている間、馬上で彼は妙見岳城に閉じこめられている親虎のことを考えることがあった。

親虎は武芸だけでなく公卿《くぎょう》風の歌道や書道にも通じ、そういう世界の好きな宗麟を感心させることが度々あった。嫡男の義統や次男の親家とちがい、親虎の頭の回転は早く、判断は聡明《そうめい》だった。立居振舞は礼にかない、茶や絵にも興味を示した。

宗麟は彼のなかに若かった頃の自分の一端を見るような思いがしたが、しかし今度の事件で親虎と自分との違う部分が現われた。宗麟は親虎がこれほど信念の強い青年だとは知らなかったのである。

（昔、余は父に怯《おび》えて生きていた）

その時の弱い自分の姿がひとつ、ひとつ蘇《よみがえ》ってくる。父の義鑑《よしあき》に怯えた自分、暗い広間ですすけた仏像のように並んだ同紋衆に怯えた自分、教育係の入田親誠《にゅうたちかざね》に怯えた自分。

（親虎にくらべ、余は……）

と彼はかすかな嫌悪《けんお》感をおのれに感じ、衝動的に馬腹を蹴《け》る。

「お家形さま、何処《いずこ》に参られます」

近習たちは驚いてあとを馬で追ってくる。一人にしてくれ。一人にしてほしい。

（余はその弱さゆえに、服部右京亮《はっとりうきょうのすけ》の妻が火中で死ぬのも見殺しにした）

弄《もてあそ》んだあの女。白い夕顔のようなその顔。憎しみと恨みとをこめた眼で宗麟をじっと見つめていた……。

（この業《ごう》の世界より救わるることはできぬものか）

馬と共に風にぶつかりながら宗麟は叫びたかった。

（余には矢乃と別れる勇気さえ持てぬ）

（余には親虎のごとき信念もない）

（余にとって禅は何も与えてはくれなかった。余は和尚《おしよう》の申すごとく常時不動の心を、明鏡止水の境地を持つこともできなかった。解き難し、吟懐一夜の氷）

馬は口から泡《あわ》をふき、喘《あえ》ぎながら宗麟も手綱をひいた。

その時、近習がそのそばに追いついて言った。

「田原紹忍さまが火急、御謁見《ごえつけん》賜りたき由《よし》にございます」

宗麟には紹忍の要求がわかっていた。その背後にはあのかん高い声をあげる矢乃の顔があった。切支丹や海の向うについて語る宗麟を白けた表情で見る同紋衆や重臣たちの姿もあった。

いや、それより以上に宗麟にはわかっていた。そうした究極的な問題をつきつけられるのを避け、鷹狩りに逃げようとする自分の弱さを。

離別の日

その朝、臼杵《うすき》教会で朝のミサをあげているカブラル神父やその他の宣教師、修道士は教会の壁に石のぶつかる音を耳にした。

「立ち去れ、南蛮天狗《てんぐ》」

声がした。声は男のものだけではなく、女のそれもまじっていた。二、三十人の男女が教会の前に集って罵声《ばせい》をあびせ、投石している。

こういう嫌《いや》がらせには神父たちは馴《な》れていたが、今日の気配にはいつもよりも烈《はげ》しい殺気だったものがあった。

教会で働いている日本人修道士ジョアンがそっと情況を見にいって、顔を歪《ゆが》めながら戻ってきた。

ミサの最後の「イテ、ミサ、エスト」という言葉を終ったカブラル神父はジョアンから、

「ただならぬ有様でございます」

と知らされた。

「切支丹《キリシタン》を憎む田原紹忍さまと奥方さまが兵をさしむけ、教会を焼く由にて、そのため臼杵の商人たちが我らの立ちのきを求めております」

カブラル神父は不安げに自分をみつめる他の後輩神父たちを励ますように、

「そうはさせませぬ」

と断乎《だんこ》とした声を出した。

「そのような理不尽を田原さまが行えば、お家形《やかた》さまとて黙ってはおられぬ」

「お家形さまは狩りに出ておられます。あの方は頼りにはなりませぬ」

とジョアン修道士は首をふった。彼は通辞も兼ねていたから、先月も救援を求めたカブラル神父に宗麟《そうりん》が、

「しばし素知らぬふりをして、事の鎮《しず》まるまで待て」

と逃げ腰の返事をしたことを知っていた。

ジョアンに言われずともカブラル神父は宗麟の性格を知っていたし、家形としての苦しい立場もわかっていた。

「主のために迫害を受くる者は幸いなるかな」

彼は自分自身に言いきかせるようにその聖句を呟《つぶや》いた。波濤《はとう》万里、自分たちがこの東の日本《ジパング》に来たのは迫害にあい、命を捨てるためであって地上の幸福を求めるためではない。投石の音はしばし続いた。しかし教会が頑《かたく》なに沈黙を守っていると彼等は一時的に去って

いった。

　だが昼になるとふたたび新たな男女が集り、騒ぎがはじまった。やがて騎馬の年輩の侍が何人かの男をつれて姿をあらわし、この男女を去らせた後、カブラルに面会を求めた。温厚な顔をしたこの老武士は、

「田原家の家臣、恵良《えら》伝兵衛と申す」

　と丁寧に名のり、主人の田原紹忍の意向を伝えた。

　それは親虎《ちかとら》の問題をこれ以上、複雑にすれば大友家中の内紛をも引き起しかねぬこと。そのためカブラルが親虎をなだめ、この混乱を鎮めてほしい、という頼みだった。

　ジョアンの通訳でそれを聞いた神父は、

「なだめるとは切支丹を棄《す》てよと親虎さまに申しあげることでございますか」

　とたずねさせると、恵良伝兵衛は、

「心から棄てよと申しているのではない。ただ形のみ棄てたごとくなされば充分でござる。それですべてが丸くおさまる」

　と微笑しながらうなずいてみせた。

「切支丹にとって形と心とは別ではございませぬ」

　とカブラルは強情に首をふった。彼はこの妥協策のなかに日本人特有のいやらしさを感じ烈しい嫌悪感をおぼえた。

カブラルの拒否をきくと、今まで温厚な表情をしていた使者の顔に怒気が露骨に浮かび、

「ここまで申し渡して強情はるからには、如何《いか》なる仕儀に至っても、知らぬぞ」

吐き棄てるように言うと馬に乗って戻っていった。

緊急を知らせる報告は臼杵から逃げて鷹狩《たかが》りに出ている宗麟のもとに次々と伝えられた。カブラルからもジョアン修道士が救いを求めにやってきた。矢乃《やの》と田原紹忍からも親虎の棄教を奨《すす》めてほしいと切願してきた。矢乃のそれは要求というよりむしろ彼女らしい威嚇《いかく》にひとしかった。

長い間、曖昧《あいまい》にし、ぼやかせ、回避してきた宗麟の問題が親虎という青年の頑固《がんこ》さゆえに一挙にあらわれた。

家形としてこの領内を今までの通り無事無難に鎮め、治めるため、ここは矢乃や紹忍の言うことを聴き、親虎を見殺しにするか。

それともこの六ヶ国にあたらしい生命を吹きこむために新しい文明文化を切支丹宣教師を通して摂取しようとしている親虎たち若いグループを支援するか。

緊迫したこの状況を最も詳細に最も熱意をこめて報告しているのはこの事件を目撃したルイス・フロイスの「日本史」であろう。

「それは土曜日の正午であった。臼杵では田原紹忍が同夜か翌日には教会を破壊し、宣教師たちの殺害を命ずるだろうという噂《うわさ》がたった。たまたま、ルイス・フロイス神父はその土曜の夕方、そこから半里のところで一人の死者を葬《ほうむ》らねばならなかった。彼が夜分、数名の切支丹に伴われて臼杵に戻ると三、四十名ほどの異教徒が掠奪《りゃくだつ》のため教会の扉《とびら》の外で綱や棒を肩にして立っているのに出会った。彼等は紹忍が教会を襲撃した時、どさくさにまぎれて掠奪する準備をしていたのである。

ここにおいて神の御摂理により、神父たちがなにも頼んだのではないのに、切支丹信徒たちの間に並々ならぬ行動が起った。彼等は全員、その土曜と日曜に教会に集り、神父や修道士たちと教会で殉教したいと言ったのである」

集ったのは平生、熱心だった信徒だけではなく、普段は教会から離れていた者さえも駆けつけてきたとフロイスは書いている。

もっともフロイスの文章には多少の誇張もあるかもしれぬが、彼によれば、法華宗《ほっけしゅう》の異教徒たちが「切支丹たちがいとも悦《よろこ》んで死にたいと申し出るところをみると、彼等は後世の浄福を肉眼でみたように思われる。そうならその浄福に自分たちもあやかりたい」と言い、宣教師たちの説教を聴いて八日後に二十三人が洗礼を受けたという。

宗麟はこのただならぬ臼杵の状況を知ると渋々と臼杵に戻った。彼の弱い性格は対立したこの問題にまだ結論を与えることができないでいた。

（事態が何事もなく去ること。傍観して嵐《あらし》の吹きやむのを待つこと）

城に入った彼は矢乃との対面も避け、だが周囲の模様や動きはただちに知らせるように家臣に命じておいた。

「紹忍さまは親虎さまを勘当なされました」

という報告は帰城後ただちに耳に入った。

「養子縁組を捨て、相続はとりやめとする。されば向後は何処《いずこ》に去ろうと勝手である」

という言葉を、閉じこめていた親虎に申しわたしたという。

そこには矢乃の意向が働いていることが宗麟にはすぐ推察できた。紹忍はまだ宗麟の意向をはばかってこのような露骨な処断はできぬ筈《はず》だ。矢乃が介在してこの結論を出したことは容易にわかった。言いようのない矢乃への不快感が宗麟の胸を走った。

「それで親虎はどこへ赴いたか」

宗麟の質問にやがて城下町に出た近習から報告が入った。

「親虎さまはどうやら城下の教会《エクレシア》に入られる模様にございます」

「教会《エクレシア》に？」

「教会には親家さまも参られてございます」

「親家がなんのために」

親家とは言うまでもなく宗麟の次男で僧侶《そうりよ》になるべく定められていたが、それを拒んで切支丹の洗礼を受けた少年である。

「親家さまは同じ切支丹として親虎さまをお助けしたいと申されております」

宗麟は近習のその説明に不快な気持を抱いた。親家の激しやすい性格が事件を更に荒だてることを怖《おそ》れた。

「親家には教会より去って林家に戻れと命ぜよ」

林家とは僧籍になるのを嫌がった次男のために宗麟があたらしく作った家名である。その林家を与えることで親家が大友の家督の座に執着せぬよう計ったのだ。

親家は親虎を助けるため側近の清田鎮忠《しげただ》の策を入れた。鎮忠は親家に僧にならぬためには切支丹の洗礼を受けることだと悪智慧《わるぢえ》を授けたあの男である。

「親虎さまにかわって田原紹忍の養子になられては如何《いかが》にございましょう」

鎮忠は歪《ゆが》んだ笑いをうかべて主人の親家にすすめた。

「この親家が……田原をつぐ？」

「さようでございます。田原の姓は林などというあたらしき姓よりももっと若君には値があると存じますぞ。国東《くにさき》の大きな土地には田原氏の息のかからぬ場所はございませぬ」

「親虎を追いやってか」

「今こそ好機ではございませぬか」

フロイスによれば親家は教会に姿をみせ、カブラル神父にこう言ったという。

「私は今や当国の切支丹の頭《かしら》だから、もし親虎に危険があれば私が守ってみせる。また親虎が遠国に追放されるなら、私が伴《とも》をしよう」

フロイスはこの言葉が「本心から出たものではなく虚偽であり欺瞞《ぎまん》であった。すなわち彼は悪魔のような性格で」と罵《ののし》っている。

親家は母の矢乃の説得にかかった。

「今のところ親虎は切支丹を棄てる気は毛ほどもございませぬ。のみならず伯父上（紹忍）にも深い怨《うら》みを抱いております。されば、よし切支丹を棄てましょうとも田原家を継がせるのは如何と存じますが」

矢乃は突然このような事を口に出した次男の真意に疑惑を抱いた。

「田原家を継がせるのが不適と考えるのか」

「そう勘考致します」

「されどそちの妹は親虎にあれほど心を寄せている。たびたび長い手紙や数々の品を切支丹寺の親虎に送っていると侍女たちより聞いている」

「親虎は切支丹に夢中にございます。できうるならば切支丹の僧となり妻帯致さぬとさえ申すこともございます。母上も切支丹僧は妻帯を致さぬことをよく御存知でござりましょう」

矢乃は一点を凝視した。親家は母がひきつったような眼《め》をして一点を見る時は烈しい怒りを起しているのをよく承知していた。

「母上」

と親家は不安げな表情を作って囁《ささや》いた。

「御案じめされますな。母上のお許しがあるならば、田原の伯父上の養子にはこの親家がならせて頂きます」

矢乃はまるでふしぎなものを見るように我が子を見た。気弱な長男の義統《よしむね》とちがい、激情に走りやすく我儘《わがまま》一途《いちず》なこの次男にそんなやさしさがあったのが解《げ》せぬようだった。


教会にはカブラル神父以下、修道士、日本人信徒たちがたてこもった。その話を聞きつたえて府内からも信徒たちが続々臼杵《うすき》にやってきた。彼等は身の危険もかえりみずに宣教師たちを守ろうとしたのである。

「かの者たちは十字の柱を持ち、歌を歌うて死を待っております。そのなかには親虎殿の姿もたしかに見えました」

偵察《ていさつ》してきた近習の話をきいて宗麟は沈黙した。

(切支丹たちはなぜそのごとく死をも怖れぬのか。侍にも戦に臨んで死を怖れぬ者がいる。だがそれは知行のため俸禄《ほうろく》のためである。だが切支丹たちは……)

宗麟は言葉の上では「復活」とか「永遠《とわ》の命」を宣教師たちから聞いて知っていた。しかしそれは彼のなかで何の実感も伴わぬものだった。

だが今、教会にはそれを信じて続々と切支丹たちが集っている。カブラル神父のような南蛮人宣教師だけではない。領内の百姓や神父たちの布教で洗礼をうけた府内附近の土豪、地侍たちもそうだ。

「切支丹たちは刀や槍《やり》を支度致しておるのか」

「それが……いずれの侍も腰のものを取り、寸鉄も身に帯びてはおりませぬ。祈りつつ死を待つ覚悟のように見受けました」

「愚かな」

愚かなと言ったが、宗麟の心の奥にこの連中にたいする言いようのない羨望《せんぼう》が湧《わ》いた。どうして、それら切支丹信徒たちは無抵抗で迫害を受けようとするのか。無智な狂信か。それともカブラルのたくみな煽動《せんどう》にのっているのか。いや、そうではない。親虎ほどの賢く利口な青年までが貧しい百姓の切支丹たちと肩を寄せあって同じように祈り、同じように死を待っている。

それは無智ではない。たんなる狂信でもない。何かが存在しているのだ。

「北の丸に余が参ると伝えよ」

彼は小姓に衝動的に命じた。立ちあがって彼は廊下を歩き、矢乃の住む城内の北の丸に向った。

矢乃はまるで夫の訪問をあらかじめ知っていたかのように待っていた。

「ちょうど宜《よろ》しゅうございました。お願いしたい儀がございました」

と矢乃は例によって挑戦《ちようせん》的な眼をこちらに向けた。既に四十歳をこえた矢乃の顔はこの頃《ごろ》、夫への恨みのために頬肉《ほおにく》もこけて、若かった時、彼女の魅力だった大きな眼だけが強く光っていた。

「臼杵の切支丹寺に兵をむけるとはまことか」

「わたくしは知りませぬ」

「そなたの兄がそのような企《たく》みを致しておるのか。それとも」

「存じませぬ。されど切支丹寺があればこそ、親家も迷わされ、親虎も迷わされました。そのような邪教の寺は火をかけても苦しくはございますまい」

そして彼女は嘲《あざけ》り笑うように、

「いつぞやの女の家も火で包まれましたな」

と言った。

宗麟の顔が蒼白《そうはく》になった。「女の家も火で包まれましたな」というその一言が心の傷を強く開き、後悔と慚愧《ざんき》の部分をえぐり、矢乃への積りつもった怒りを爆発させた。

手を震わせ、宗麟は大声をあげた。

「もし切支丹寺にそなたとそなたの兄が兵を送れば、ただではすませぬ」

「おや、何を……なされます」

夫を馬鹿《ばか》にしたように矢乃は開きなおりわざと冷静を装った。

「田原一族を相手にお戦いなさるのでござりますか」

田原一族が支えておればこそ宗麟は六ヶ国大守の地位を保っているのだと矢乃は心底から信じていた。

宗麟が黙りこむと矢乃は勝ち誇ったように、

「田原の名で思い出しました。先日、親家が親虎にかわり、兄、紹忍の養子になりたいなどと申しに参りました。もしそうなれば大友の家と田原の家とは更に強く結ばれましょう。如何、お考えでござりますか」

逆上してくる血を宗麟は抑えるため何度も息を吐いた。もう沢山だった。長い間、この女の顔を見て、この女から怒りの言葉を浴びせられ、田原、田原という名を繰りかえし耳にしてきた。つりあがったその眼、そのくせ、すべてを計算して手をうってくる智慧。

「よいか、黙ってきけ。これだけは大友家の家形《やかた》としても、そなたの夫としても決してゆずらぬことを申してきかせる」

宗麟は矢乃の顔を見すえて、静かに言った。矢乃の眼から嘲るような光が消え、かすかな怯《おび》えが走った。

「余は向後そなたとは同じ屋根の下には住まぬ」

「何と。何を血迷うたことを」

「血迷うてはおらぬ。逆上してもおらぬ。余は向後、そなたとは共に住まぬ」

「……」

矢乃は夫を凝視したまま身じろがなかった。彼女が想像もしなかった言葉が宗麟の口から発せられたからである。

「余は今ほど切支丹《キリシタン》でなくてよかったと思うたことはない」

宗麟は皮肉をこめてこの言葉を言った。

「切支丹では夫婦が別れることを固く禁じていると聞いた。だが余はそなたの言葉に従い切支丹にはならなかった。まことに有難いことであった」

茫然《ぼうぜん》として矢乃が自分を見つめている。そして何時《いつ》もとはまったく違い反駁《はんばく》もしてこないことに宗麟は快感をおぼえた。

彼はうしろをふりむいた。あの侍女が隅《すみ》で平伏をしていた。その肩がなぜか、小刻みに震えていた。

うしろ向きになったまま宗麟は矢乃に告げた。

「そなたはこの臼杵の城に留《とど》まってよい。城を出るのは余である。遠くには参らぬ。城の外に住む。余はそこで余の欲するように生きる」

廊下を歩きながら宗麟は身の軽ささえ覚えた。矢乃にたいする愛着も憐《あわ》れみもほとんど感じなかった。それよりも長年、その下で耐えに耐えていた重い石が一気に消滅したような悦びさえ覚えた。

書院に戻り、庭に眼をやりながら、先ほど矢乃に言った言葉を反芻《はんすう》した。

自分はこの城を矢乃に残して臼杵のいずれかに住むと言ってしまった。その時、彼は海に面し松林のつづくひとつの風景を心に甦《よみがえ》らせた。五味浦（現在の臼杵高校の近くで住宅地になっている）という、彼の今、最も欲している静謐《せいひつ》な生活を与えてくれるような土地だった。

彼は作事奉行にあたる家臣をよんで自分の計画をうち明けた。

「城をお出になるのでございますか」

「今は誰にも申してはならぬ。そちはただ新しき館《やかた》をそこに作ればよいのだ」

作事奉行が戻ったあと、矢乃の使いとしてあの侍女が目通りを願い出てきた。

彼の前にさきほどと同じように平伏している彼女に、

「顔をあげよ」

と命じると顔をあげた。前から思っていたのだがこの侍女にはどこか亡《な》き母の面影《おもかげ》に似たものがあった。そして母と同じように病身の気配も感じられた。

「矢乃が何を申したか」

「なにとぞ、さきのお言葉、思いとどめられて、城にお残りくださるよう……」

「できぬ。この儀は今日に思案したものではない。その次第は申さずともそちが傍《そば》にあってよく存じているであろう」

侍女はうなだれて沈黙をしていた。

「そちは矢乃が奈多《なだ》に育った頃より仕えたときく。矢乃がいかなる女かもよう存じておろう。今更、城に残れとは得手勝手であると伝えよ」

彼女はうなだれて宗麟の言葉をきいていた。

「そちは……余の申しようを我儘と思うか」

「いえ」

「ならば、余の言うた通りを矢乃に申せ」

退出しようとして体をあげたその侍女、露の横顔があまりに昔の母に似ていた。

「待て」

と宗麟は呼びとめた。

「名は露と申したな」

「はい」

震えるような細い声で彼女は恥ずかしげに答えた。

「そちは夫があるのか」

「奈多鑑定と申す者の妻にてございましたが、今は夫を失い娘一人がございます」

「そちの夫は奈多という姓ならば矢乃の血続きであったか」

「一族の一人にございました」

矢乃とはあまりに対照的なこの寡婦《やもめ》としばらく話がしたくなった。

「そちは矢乃が切支丹を憎みに憎んでいることを存じているであろう」

「はい」

「そちも矢乃に仕える身として、切支丹を嫌《きろ》うておるのか」

女は困惑したように黙った。宗麟がわざと沈黙を続けていると、かぼそい返事がやっと戻ってきた。

「切支丹を嫌うてはおりませぬ」

「切支丹僧を見たことがあるのか」

「府内にて切支丹寺を見物致したことがございました。その折切支丹の男が病にかかれる憐れな者を手厚う運び、薬を与えておりました」

宗麟は突然に命じた。

「新しき館を五味浦に作る。折々、矢乃の様子を内密に知らせに参れ。思えば、あの女も余に見捨てられ憐れである。充分に仕え、余にその模様を伝えに参れ」

「はい」

侍女が退出したあと、宗麟は幼少の折、母が姿を消したあとに感じた感覚を思いだした。あらためてあの侍女の顔はたしかに亡き母に似ていると宗麟は思った。

早馬が日向《ひゅうが》の北から急を知らせてきた。

日向北部を領土としている土持親成《つちもちちかなり》が大友家とのこれまでの友好関係を捨て薩摩《さつま》の島津氏に寝返ったのである。

日向は代々、その南部を伊東《いとう》氏に、北部を土持氏によって支配されていた。伊東氏は鎌倉《かまくら》時代の豪族、工藤祐経《すけつね》の流れをくみ、日向に移り住んで佐土原城を本拠として国人たちを従えていたが、昨年（天正《てんしょう》五年）家臣の裏切りによって島津義弘《よしひろ》に城を乗っとられた。佐土原城主の伊東義益は宗麟と縁戚《えんせき》関係にあったので豊後《ぶんご》に逃れていた。

一方、土持氏の当主、土持親成は伊東氏の没落と共に島津に応ずる姿勢を見せはじめたが、それがますます露骨になったのである。

評定が臼杵城内で開かれた。例によって同紋衆や重臣たちが仏像のように広間に並んだ。

「島津の乱暴、このところ、目に余るものがござります」

と田北鎮周《しげかね》が発言した。

「このまま見過せば土持氏はじめ、日向の国人たちは悉《ことごと》く島津になびきましょう。ただちに兵を送り、土持親成を討たねばなりませぬ」

広間のなかには長い間、宗麟を支え、助けてくれた臼杵鑑速《あきすみ》の顔がなかった。彼は去年、突然に病死したのだ。宗麟は鑑速のいない広間をみて、片腕をもがれたような寂しさを感じた。

臼杵鑑速に代って加判衆に入った田北鎮周は土持膺懲《ようちよう》の強硬論を主張した。

しかし佐伯《さいき》宗鉄がこれに反対した。

「土持氏に兵を進めれば、島津はただちに土持親成を助けましょうが、それに応じて中国の毛利が動かぬとも限りませぬ。元就亡きあととは言え、毛利の動きをよく見てから戦をはじめても遅くはありませぬ。まず使僧を送って土持親成の本心を聞くことが肝要と存じます」

矢乃の兄、田原紹忍は沈黙をしていた。彼は親虎《ちかとら》事件によって臼杵に不穏な情況を作っただけに重臣たちに批判の眼《め》を向けられていたからである。その心の動きが宗麟には手にとるようにわかった。

この慎重論が同紋衆の大半の賛意を得た。使僧としては寿林寺の僧、紹欽が選ばれた。紹欽は怡雲和尚《いうんおしよう》の高弟で、土持親成とも親交があったからである。

親成の松尾城に赴いた紹欽は大友家の疑惑を土持親成に伝えた。

「これは根も葉もなき噂《うわさ》にござる。土持家はかねてより人質をさし出し、大友家に背かぬ起請文《きしようもん》も差し出してござる。たまたま薩摩の島津家が伊東家の内通によって佐土原城を奪うたゆえに、この土持親成まで怯えおそれたとお思いか」

親成が高飛車に反駁し、怒ってみせたことが逆に炯眼《けいがん》な紹欽の疑いを増した。

「あいわかり申しました」

しかし紹欽はそんな感情は面《おもて》に出さず、平静を装って城を出た。

しかし彼は臼杵《うすき》に戻るふりをして、今一度道を引きかえした。紹欽は彼の出発と同時に土持親成が城兵を集合し、戦の支度をしているであろうと考えたからである。

推測は当っていた。松尾城には篝火《かがりび》があまたたかれ、火の粉の飛ぶなかで軍装の兵士たちが次々と集合していた。そのなかには明らかに島津の旗をたてた部隊もまじっていた。

紹欽は驚愕《きょうがく》し、事の次第を急報するために引きかえしたが、不運にも警戒に当っていた親成の兵につかまった。

「わしは今朝、汝《なんじ》の主人と会《お》うた使僧である」

と弁解したが聞き入れられず、樹《き》につながれた。彼をつかまえた兵の隊長はこれを松尾城の土持親成に知らせた。

「切れ」

と親成は自分の裏切りが臼杵城に知られるのを怖《おそ》れて、紹欽を斬首《ざんしゅ》させた。

木の香も新しい五味浦の館に移った宗麟を同紋衆はもとより、加判衆が次々とたずねてきて、臼杵城に戻ることを説得した。

「余は家督は既に義統《よしむね》にゆずってある。もはや余が口を出さずとも汝等が義統の補佐を致せばよいではないか。しばし余を隠居させよ」

と宗麟は彼等をじらすように言った。重臣たちは、

「されど日向の状勢、ただならぬものがござります」

と切願すると、

「使僧、紹欽の帰りを待って考えればよい。それに臼杵城はこの五味浦から目と鼻の先じゃ。大事があらばこの館に報告に参れ」

と言い、同紋衆たちが矢乃との復縁をすすめても、もはやその気持に変りはないと答えた。同紋衆や重臣から宗麟の固い決意をきいて、はじめは高を括《くく》っていた矢乃の自信が崩れた。女として自尊心が強い彼女は生れて初めて夫に「棄《す》てられた女」として皆の視線に曝《さら》されたからである。

(お戻りくだされまし)

夜半、彼女は闇《やみ》にむかって五味浦にいる宗麟によびかける。海鳴りが彼女の心を更に荒涼とさせる。

(臼杵の城にお戻りくだされまし、わたくしは二度と逆らいませぬ)

彼女は耳をすまし、宗麟の答えを待ちうける。しかし戻ってくるのは遠くの海のざわめき。

(今日までのわが過ちは大友家の安泰を考えればこそでございました。されどそれがお家形

さまのお怒りをかくも招いたのならば、矢乃は向後、何も申しませぬ。お約束いたします）

彼女は闇のなかで宗麟をよぶ。

（思い出されませぬか、はじめて奈多の社でわたくしが舞を舞いましたあの祭の日を。白い浜を、碧《あお》い波を。あれからお家形さまはわたくしといつも御一緒でございました）

あれほど烈《はげ》しく、気の強かった女が今、こうして崩れおち、背を丸め、号泣した。

しかし夜があけ外が白みだすと矢乃はふたたびきっとした表情に戻り、侍女たちに君臨した。

そのくせ夕暮、彼女の心は錯乱し、まるで宗麟が城を出たことさえ忘れたように、

「お家形さまに今、急用あって矢乃が参上致しますと申せ」

などと口走った。

侍女たちはたがいに顔を見あわせ、矢乃が正気なのかを探ろうとした。

彼女の気が狂いはじめた、そんなある日、老女中の一人が彼女の部屋にただならぬ気配を感じて飛びこんでみると、矢乃は白無垢《しろむく》の姿で短刀で胸を刺そうとしているところだった。老女中は人々をよび、おいかぶさるようにして彼女の手からその短刀を取りあげねばならなかった。

この日から矢乃は眼にみえぬ座敷牢《ろう》に入れられたように周りの者から絶えず警戒された。

宗麟は矢乃の狂気になっていく過程を五味浦の新居で聞いていた。宗麟の命令を守ってあ

の侍女がすべてを伝えに来てくれたからである。

「奥方さまはお家形さまをひたすら探しておられます。まことお家形さまのおそばでお住みになりたいのでございます。女のわたくしにはそのお心がよくわかります」

そう言って露という侍女は指で眼をふいた。

矢乃が心の奥底では宗麟を愛していることは宗麟自身にもわかっていた。しかし彼にはもう別れた妻には一かけらの愛情も感じなかった。荒れ狂う嵐《あらし》のような妻のヒステリーをもう味わいたくなかったのだ。

彼はもう年齢《とし》だった。静かさがほしかった。平凡でもいい、休息を求めていた。できれば国政のすべてを嫡男《ちやくなん》義統に任せ、自分はこの五味浦で静かに生きたかったのだ。今更、矢乃との醜い葛藤《かつとう》の場所に戻れる筈《はず》はなかった。

「それはできぬ」

それだけに彼は亡き母に似たこの侍女に今まで感じなかった安心感に似たものをおぼえた。この女に身の周りの世話をさせるのはどうだろうか、という気が一瞬、心にふっと湧《わ》いた。老いた自分の話し相手、この女なら他の誰にも語らなかった彼の心の奥、彼の犯した罪障を母のように許してくれるかもしれない。

もう自分は、ないだ海のように波だたぬ晩年を送ってもいいのではないか……。

神の国

臼杵《うすき》教会在任のバス修道士の書簡（一五七八年）

ギリエルメ修道士にかわり、府内臼杵の教会の書記に任命された私はここにこの年に起った豊後《ぶんご》教会の状況について悦《よろこ》ばしい報告を致します。

まず豊後国王は切支丹《キリシタン》迫害の指揮者であったその夫人と別居をして、五味浦とよばれる海辺に新しい館《やかた》を作り、そこに住まわれたことは既に報告申しあげた通りです。

我々が旧約聖書からイサベルと名づけた夫人と別れたことは国王にとってたんに夫婦の別居だけの問題ではなく、まさに新しい人生に入るための手段だったと思われます。彼にとってそれは再生の糸口だったのです。

国王は臼杵城内との連絡係として小姓たちだけではなく前夫人の侍女だった一人の女性をたえず館に呼んでいました。

前夫人イサベルとはまったく違って控え目で慎みぶかく、しかも並々ならぬ教養を持ったこの女性は次第に国王の気に入られ、国王たっての懇請によって五味浦の館で彼の身のまわりの世話係たちの監督さえするようになりました。

前夫人はこの侍女の裏切りを知ると前にもまして烈《はげ》しいヒステリーの発作に陥り、短刀で自殺を計ろうとしたため、その後、娘や一族から一日中、監視を受けるようになりました。

彼女の侍女のほうは臼杵城にふたたび戻れば前夫人の嫉妬《しっと》と怒りの対象になることはあまりに明らかでしたから、国王の館に住まうことになりました。

慎みぶかく教養のある彼女は国王に切支丹の教義を知りたいと願い出たそうです。

国王はカブラル神父に使いを出し、日本人の修道士で教義に明るい者を館に送るようにと頼みました。

ジョアン（如安）修道士がその重大な役目を与えられました。五味浦の館で彼が成功することをカブラル神父も私もどれほど神に祈ったでしょう。神父は府内にも使いを走らせ「その女性だけでなく国王も教えに耳傾けるように」神へのミサを挙げることを依頼したほどでした。

ジョアンは夕暮、館につきました。広間に通されて平伏した彼が顔をあげて驚いたのは一段と高い場所にその女性だけでなく、彼女の娘も国王自身も着座していたことでした。

国王は話が終ると必ず誰よりも先に質問をはじめ、ふかくうなずき、時にはその女性に向って、

「まこと、その通りであるな」

と同意を促すほど熱心でした。

この悦ばしい習慣はほとんど毎日続きました。国王は多忙な政務を犠牲にしてでもジョアン修道士の訪問を楽しみにしているので教義の授業は予定以上に早く進みました。

「これで、洗礼を受けるに充分なお話を申しあげました」

とジョアン修道士は恭《うやうや》しく平伏をして申しあげました。

「と申すからには、この二人の女、もはや切支丹になっても差し支えないか」

と国王はたずねました。ジョアンが御意の如《ごと》くと答えますと、国王は坐《すわ》りなおして、

「さらば二つ申しおくことがある。ひとつは洗礼《バプティスマ》の式は教会《エクレシア》ではなく、この五味浦で行いたい。二つめはこの女性《にょしょう》を向後、余の妻として充分な敬意を汝等《なんじら》切支丹も払うことを求める」

と突然、宣言しました。

修道士は驚き、かつ悦びに充《み》たされながら臼杵の教会に戻り、カブラル神父に報告しました。

「あまりの唐突にそちも驚いたであろう」

と宗麟《そうりん》はうつむいている露に真剣な表情で言った。

「はい」

「余は矢乃《やの》と別れて熟慮した上でこの儀を心に決めた。余は安息がほしい」

眼《め》をつむって宗麟は心の底に溜《たま》りに溜ったものを少しずつ洩《も》らすように語りはじめた。

「余は安息がほしい。大友の家形《やかた》としても一人の男としても余は疲れた。家督をゆずった義統《よしむね》はまだ若く気弱く、六ヶ国の大守として万事を仕切ることはできぬ。その時まで、その時までと思いながらいつかこの年齢《とし》になった。余は戦うに疲れ、領内の謀反《むほん》に疲れ、そして矢乃にも疲れた。残された余生を余は心の安息のうちに生きたい」

「はい」

「幼い折、わが母は眼を悪くなされたが、その悪い眼で余の顔を眺《なが》められ、何かを確めるように指で余の頰《ほお》をなでられた。その時ほど余にとり嬉《うれ》しく心の安らぎを覚えたことはない」

その母の面影《おもかげ》を甦《よみがえ》らせるように宗麟は閉じた眼のまま口だけを動かしていた。

「そちを見ると、なぜか母上を思いだす」

「勿体《もったい》なく存じます」

「あの頃《ころ》の心の安らぎを余はこの館でそちから得たいと願うている。更にそちとそちの娘とが切支丹に帰依《きえ》しても家臣や仏僧に騒ぎが起らねば余も洗礼《バプテイスマ》の水をかけられたく思うている」

「はい」

露にはそれがまるで水が低きに流れるように自然で当然なことに思われた。

「お家形さまならばパードレさまたちも悦んで教会《エクレシア》にお迎えになりましょう」

「いや、パードレたちは余を知らぬ。余は心のすべてをパードレたちに申してはおらぬ」

「わたくしもお家形さまのことは何ひとつ存じませぬ」

「何も知らずともよい。ただ向後の余はこれまでの余とは違うであろう。それに余さえ自分が何者かわからぬのだ」

宗麟は禅を捨てて切支丹にすがるのは自分が弱いゆえだと知っていた。怡雲和尚《いうんおしょう》について禅を知ろうと考えた時、心の奥にどうしても従《つ》いていけぬ何かを感じたのもそのためだった。

(他にすがらず、おのれによっておのれを救う者がいる。禅はかかる強さを持つ者に向いている。だが余のごとき者には、何かにすがらねば安らぎを得られぬ)

だが何にすがるのか、宗麟が真面目《まじめ》に切支丹に関心を抱いたのはその点だった。

(されど、なにゆえ、切支丹の神でなければならぬのか。おなじ仏門でも一向宗と申し阿弥《あみ》陀如来《だにょらい》にひたすらすがる宗門があるではないか)

疑問は次々に宗麟の心に去来した。彼はジョアン修道士を通訳としてカブラル神父を館に招いた。カブラル神父は長崎に向う旅支度に忙しかったが急いで館に駆けつけた。

「パードレ、余には二つの顔がある。いや、三つも四つもの顔があるやもしれぬ」

と宗麟は初めてカブラル神父に自分の心をうち明けた。

「切支丹の教えは正邪善悪を二つに分けるときいたが、余には善のうちにも悪があり、悪のなかにも善があるとしか思えぬ」

「それは如何なる意でございましょうか」

「そうではないか、パードレ。九州六ヶ国の大守として余は多くの者を殺さねばならなかった。されどそう致さねば領国は乱れに乱れた。多くの者を殺すことは悪業だがその悪業のなかに家形としての善がある。そう思わぬか」

「そう存じます」

意外にもカブラルは素直に宗麟の考えを肯定した。

「余は幼き子たちを可愛《かわい》く思うが、謀反を起した者の子ならば、殺《あや》めるよう指図致したこともある。それが家形としての務めでもあった」

「……」

「謀反を起した者の妻女を殺めるかわりにそれを生き続けさせて余の相手をさせたこともある」

カブラルは小さくうなずいた。宗麟が臼杵に女を囲い、その女の屋敷に矢乃が火をかけたことは彼の耳にも既に入っていた。

「余はその女を心よりあわれみながら、その女をさいなみ楽しんだこともある。そのいずれがまことの余なのか……自分でも解《げ》せぬ」

「いずれもお家形さまなのでございます」

「そう思うか。だがかくの如く生きた余に余は疲れた。たしかなのは今日までの余は汚れに汚れていることである。その汚れは……」

宗麟は話しながらあの女の白い顔を思いだしていた。服部右京亮《はっとりうきょうのすけ》の妻。今もあの泪《なみだ》の溜った眼でじっと宗麟を見つめている。

「許せ」

と宗麟は心のなかで叫んだ。

「許せ」

「何と仰《おお》せになりました」

「いや、かくの如き身でも切支丹の教えは許すと申すのか」

「もとよりでございます、あのお方はそのために命を捧《ささ》げられました」

「命を捧げた、誰のために」

「我々人間すべてのためでございます……いえ、お家形さまのためにでございます」

カブラルは低いが自信にみちた声で答えた。

「お家形さまのその汚れも罪業《ざいごう》もあのお方が引き受けてくだされます」

「まことか」

「我々は皆、そう信じております。仏教での信心が我ら切支丹の信仰とどう違うか、私はよく知りませぬ。されど我ら切支丹にとり、信仰とはあのお方への信頼にほかなりませぬ。信頼なされませ。あのお方がお家形さまの汚れも罪業もすべてお引き受けくださることを信頼くだされませ。子が母を信頼いたしますように……」

カブラル神父はともするとその頑固《がんこ》な性格や日本人への軽蔑《けいべつ》感をむき出しにしたために切支丹史ではあまり尊敬されなかった人物である。しかし彼は少くとも大友宗麟にたいしては鄭重《ていちょう》であり誠実であり、宗麟の心をひきつけた。

「ではパードレ」

と宗麟はもうひとつの切実な質問をした。

「パードレが今申したことは一向宗たちが阿弥陀仏にひたすらに頼み参らせる信心と変りなくみえる。阿弥陀仏とパードレの信頼する方とは同じではないのか」

「ちがいます」

と神父はこの時、強く首をふった。

「あのお方はユダヤと申す国にて生きそこで死にました。だが阿弥陀如来は人々の頭にて作られた想念、理念でございます。想念、理念に我らがすべてを頼み参らせることはできませぬ。我らが頼みと致せますのはあきらかにこの世に生れ、この世にて生き、苦しみ、死なれたあのお方のみにございます」

宗麟はふしぎそのものの表情でカブラル神父の顔を見た。

「パードレ、そなたがザビエル殿と同じように波濤《はとう》万里遠い国よりこの国に渡ったのもその信頼のゆえか」

「そのお方への信頼がなければ、遠いこの国にどうして参れましょう。人々より唾《つば》吐きかけられ、石を投げられ、時には死をもって脅かされてもあの方の教えを広めるのは、あのお方への信頼があればこそにございます」

カブラルが帰ったあと宗麟はしばしば小姓と露とをつれて五味浦の浜にたった。うち寄せる波の単調な響きは逆に宗麟にさまざまな事を考えさせる。

砂浜に腰をおろし、両手を膝《ひざ》でくみ、海の遠くを見つめる。水平線の向うにザビエルが赴いた天竺《てんじく》の国があり、カブラルたちが生れた南蛮の国々がある。この日本がどれほど小さく、そしてその小さい国で小さな土地をめぐって人間が争っているか。

露とその娘との洗礼は長崎出発直前のカブラル神父によって五味浦の館で行われた。「カブラル師は二、三名の日本人修道士を送り、奥方の居室に運搬可能な祭壇を作り、臼杵の教会から最良の祭具を運ばせた。かくして奥方と娘とは受洗してそれぞれ、ジュリヤとコインタの霊名が与えられた」(フロイス「日本史」)

天正《てんしょう》六年の二月、定例の評定ではふたたび日向《ひゅうが》の土持《つちもち》親成の懲罰に話題が集中した。既に日向南部で親大友派だった伊東義祐《いとうよしすけ》が島津義久《よしひさ》によって追われ、宗麟に救いを求めて逃げている。

更に北日向の土持親成も島津義弘《よしひろ》に寝がえった。義弘は薩摩《さつま》の大守、義久の弟だが独得の兵法をもって兄を助けて戦に強かった。

「もはや、勘考の余地はござらぬ」

と加判衆の佐伯惟教《さいきこれのり》、志賀親守たちも口をそろえて出軍を主張するようになっていた。

評定の最中、宗麟はこの出陣によって嫡男《ちゃくなん》、義統の地位を安泰にしようとふと思いたった。

義統は弟の親家とちがい、優柔不断で煮え切らぬ性格である。そのため家督をゆずられても、家臣たちは府内大友館の義統に裁決を仰ぐよりは臼杵の宗麟にうかがいを立てることが多かった。

新しい妻と静かな余生を欲している宗麟はこの際、義統に家臣の尊敬を集中させて自分は政務雑事から離れたかった。そして念願の切支丹の教義を更に深めたいと考えたのだ。

「義統を総大将と致すが異存はあるまいな」

と彼は念のため同紋衆と加判衆に相談したが、誰も反対する者はなかった。

三月、義統の率いる三万の大軍には大友家の重臣のほとんどが従軍している。これは万一を考えて宗麟が払った配慮だった。

義統は、宇目（現宇目町）に本営をおき、実際の戦闘は佐伯惟教たち重臣が軍を七部隊にわけ北日向に侵入した。宗麟の育てた津久見《つくみ》水軍も海路から出撃している。屋峰《やかみね》口からは佐伯惟教、梓《あずさ》口からは志賀親教《ちかのり》の軍団が土持氏の部将、奈津《なつ》田《た》弾正を破り、土持氏の居城、松尾城を攻撃した。

戦は意外なほど簡単に終結した。土持親成は捕われ、その子は自決。一ヶ月たらずで大友軍は北日向を制圧している。

勝報が臼杵《うすき》の五味浦に届いた時、露が娘と共に宗麟の心を刺激するような言葉を言った。

「この戦勝はお家形さまを祝して」

「主《デウス》さまがお与えになったのでござりましょう」

「そう思うか」

と宗麟は微笑した。たえて久しく訪れなかった喜悦の心が彼の胸に湧《わ》いた。

豊後《ぶんご》を離れて長崎方面に赴いているカブラルに代って後に「日本史」で有名になったルイス・フロイスが府内から臼杵の教会に出張していた。

そのフロイスが直接、眼で見、耳で聞いたその頃の宗麟の胸中や言葉を「日本史」で記述している。

「ある日曜日に国王は通常、誰も人が入らぬ部屋で修道士に胸中をうち明けた。……それは次のような内容だった」

宗麟は初めてこの日曜日、受洗の決意をうち明けたのである。

「神《デウス》の教えが宣教師たちによって日本に伝えられた当初からこの教えこそ余にふさわしいと思い、正しいものと認めてはいたが、受洗を長く延期してきた理由は二つある。

まず好機会が到来するのを願っていたが、それはなかなか容易ではなかった。嫡男義統がやっと一人前になり、余が領国と政治を彼に委《ゆだ》ね、余自身のことを考えるようになれた今、ようやくその好機会が来たといえる。もうひとつ、余が日本の宗教の奥義《おうぎ》と知識とをどこまで知りえるかあますところなく究めてみたいと願っていたこともある。そこで禅宗の教えは日本の宗派の基本をなすものゆえ、禅宗をよく弁《わきま》えれば、他の宗派について言われていることを知ることができる。それゆえ余は莫大《ばくだい》な費《つい》えを使って臼杵に寿林寺を建て、また都から怡雲和尚を招いて学び、多年にわたって観想を励んだ。だが実際に禅宗の奥義に立ち入れば入るほど奥義らしいものはなく底の浅さがわかった。それのみか余の心は不穏になり知識が混乱するのをおぼえた。そこで既に必要なだけ神《デウス》の教えを聞いたのでカブラル神父が豊後に戻られた時受洗したいと伝えたのだが、今はこれ以上、三ヶ月も四ヶ月も延すべきではないと師に伝えてほしい。余は既に年老い、明日の生命も計りがたい。よってカブラル神父が旅行先での用務を早く終え、今後一ヶ月中に豊後に戻られるように願いたい。余はカブラル神父に格別、敬意を抱いているので神父の手から受洗したいと思っている。それまで余は余に課せられている祈りを暗記するよう努めるが、そなたたちも余の洗礼名として日本語で発音しやすく、他の者たちとあまり共通しない霊名を探してほしい」

フロイスがここで記述した話は宗麟の胸中をそのまま現わしているであろう。この告白を受けた修道士の名はかくされているが、おそらく日本人のジョアン修道士ではなかったかと作者は推察している。

だが宗麟は一週間後に自分で洗礼名を考えそれを伝えてきた。

「余が生涯《しょうがい》ではじめて会った神父はフランシスコ・ザビエル殿である。しかもあの神父の偉大な徳や聖者にふさわしい高い徳も耳にしているので彼の名こそ余の洗礼名にしたい」

というのがその主旨だった。

ザビエルの痩《や》せた孤独な姿は、宗麟の脳裏から離れなかった。遠い国から来たこの男は生涯にわたって宗麟を近くから遠くから見ていた。宗麟が女を抱いている時でさえも哀《かな》しそうな眼で彼を見つめていた。

母と共にいわば彼の心の同伴者となったザビエルの名こそ自分の洗礼名に選ぶべきと宗麟が考えたのはそのためだった。

「主イエスはそれぞれの人の心にその痕跡《あと》を残されます」

とザビエルはむかし宗麟に語ったことがあった。

「お家形《やかた》さまにも、主は痕跡《あと》を残されました。私というつまらぬ人間を通して」

その時は宗麟によく意味のつかめなかったザビエルの言葉が今、ようやく理解できた。神が語るのは禅の教えのように純粋な無私によってではなく、泥《どろ》まみれの人生やザビエルのような人を通してなのだ。いや、あの憐《あわ》れな女さえも神の語りかけと宗麟の救いとのために深い意味を持っていたのだ。

受洗の日は豊後に急いで戻ってきたカブラル神父によってすぐ決められた。聖アウグスチヌスの祝日にあたる八月二十八日がそれだった。

当日の朝、すべてのものを青く染めるような空は暑さを予想させたが、臼杵の教会では洗礼の準備がまだ暗いうちから行われていた。

午前八時、宗麟は駕籠《かご》にのり、七名の若い家臣だけを連れて教会に姿をあらわした。これら若者たちも共に受洗を願っていたのである。

カブラル神父は宗麟たちに洗礼の意味について長い話をした。

その後、彼は神父と向きあい、ひとつ、ひとつの誓約に答えた後、額に油と塩とをぬられ、水を注がれ、火のともった蠟燭《ろうそく》を持たされた。

「ならばフランシスコよ。汝《なんじ》はデウスとその子、イエスを信じ奉《たてまつ》るか」

とカブラル神父は強い声でたずねた。

「信じ奉る」

と宗麟は強い、しっかりとした声で答えた。

その後、彼は聖室の外に出て、自分の次に受洗する七人の若者たちの名を紙に書き、ふたたび聖室に戻ってカブラル神父のたてるミサにあずかった。

既に教会の外には多くの男女が思いがけぬ出来事を見物するために集っていた。強い陽《ひ》ざしが容赦なく照りつけるなか、教会の隣りにある宣教師たちの家から出た宗麟は微笑しながら、これら群集を眺《なが》め、駕籠に乗った。その微笑には彼がやっと摑《つか》んだものの満足感があらわれていた。

駕籠が五味浦の館《やかた》に到着した頃《ころ》、臼杵の城の矢乃にもこの知らせは届いていた。

矢乃は唇《くちびる》を歪《ゆが》めた笑いを浮かべて言った。

「殿は南蛮人の屋敷にて湯浴みなされたとか」

また一五五一年に日本を去ったフランシスコ・ザビエルと共に宗麟の使者としてゴアに向った家臣（霊名ロレンソ・ペレイラ。新井白石は植田入道玄佐という名を書いているが、植田はその地で死んでいる……）をよび、

「そなたも切支丹の寺に参り、頭を洗うてもろうてはどうか」

などと嘲笑《ちようしよう》したとフロイスは記述している。

宗麟の受洗を耳にして怒りを感じたのは矢乃だけではなかった。怡雲和尚《いうんおしよう》のあとに臼杵寿林寺の住職となった高僧もこの知らせを聞くと「呆然《ぼうぜん》として国王に使者を遣わす勇気も失

せ」府内の義統《よしむね》に伝言を送って、都に引きあげたいと申し出た。

だがこういう怒りや不満にもかかわらず宗麟の行為は家臣たちだけでなく、義統にさえ影響を及ぼした。

義統はカブラル神父に使いを送り、彼の住む府内の大友屋敷にも然《しか》るべき修道士を通わせ、切支丹《キリシタン》の話を聞かせてほしいと頼んできた。

豊後に戻っていたトルレス神父がその役に選ばれた。トルレスは夜おそく大友屋敷を訪問して義統夫妻に教理を教え、質問を受けた。

フロイスがのべている義統の幾つかの質問は当時の切支丹領主の誰もがおそらく宣教師にたずねたものと思われるので、その一つ、二つを紹介しておく。

ひとつはヨーロッパにおける教会と世俗の領主との関係である。あるいは教会は政治にたいしてどういう姿勢を持っているかという問題である。

二つ目は日本の領主がもし切支丹になった場合、ローマとは遠隔の地であっても法王に服従をあらわす使者を送らねばならぬか、という疑問である。

三番目は――これは領主たちに非常に重大なことだが――他の領主との間に不和が生じた場合、戦を仕掛けるのは神の教えに背くかという質問である。

フロイスはトルレス神父やカブラル神父やフロイス神父がこれらの質問にどのように答えたかは書いてない、ただ「これらについて、すべて回答がなされた」と記述しているのみである。

だがこの三番目の「切支丹と戦争」という問題について神父たちが答えた内容は想像できる。教会は神の正義を実現する戦のみを容認するという聖戦論がそれである。今日から見ると一方的、独断的とも思えるこの考えは日本に来た宣教師たちも抱いていたもので、後にフロイスたちが豊臣秀吉《とよとみひでよし》の禁教令によって布教が捗《はかど》らないために「日本を軍事的に占領する」計画をたて、それを東洋巡察師ヴァリニャーノ神父に拒絶された出来事の裏にも当時の聖戦論があるのだ。

教会に接近するにつれ、情緒不安定な義統はカブラル神父さえ驚き反対するような過激な発言をした。たとえばそれまで大友家が寄進をしてきた熊野権現《くまのごんげん》や愛宕《あたご》神社への寄附をまったく止めると言ったり、盆祭りに称名《しょうみょう》をしながら歩く者は処刑すると布告させたりした。

一種の熱病に似た信仰的興奮が義統から宗麟にも移った。さすがに彼は嫡男のように血気にはやった考えは起さなかったが、カブラル神父たちからスペインやポルトガルのように基督《キリスト》教国家の話をきくにつれ、

「わが領内すべてを切支丹に強《し》いることはできぬ。されど北日向のいずれかに切支丹国の雛《ひな》型《がた》を創《つく》れるであろう」

とふと思いついた。

そのふと思いついたことが強い酒のように老人の心を酔わせた。彼は残り少い自分の人生

にこの想念を具体化したいと切に考えはじめた。

「よきお考えにござります」

宗麟からこの話を聞いたカブラル神父さえも顔をほころばせて賛成した。もしこのような基督教化された場所が完成すれば、それは布教の根拠地にもなるからだった。

「北日向には山川うつくしき土地があると伊東義祐が申したことがある。その山川うつくしき土地に余は教会《エクレシア》を建て余たちの住居を作り、そこに住む者すべてを切支丹となし、デウスを讃《ほ》めたたえる人々の故郷《ふるさと》に致したい」

宗麟は今まで感じたことのない興奮に老顔を紅潮させながら、心のなかの理想国を語りはじめた。フロイスによると「宗麟と義統とは神《デウス》の名を高めることについて、いずれが秀《ひい》でているか競いあうほどの熱意をみせた」という。

洗礼こそまだ受けなかったが義統のほうもふかい信仰というより無意識での父への対抗意識からか狂信に近い行動をみせている。

たとえば彼は冷水をみたした桶《おけ》を用意させ、それを寝室におかせた。冬の寒さが厳しい時でも義統は肉慾《にくよく》に勝つため、誘惑に悩まされると「身を切るような冷水をあびて性慾の熱気を冷やし消している」と修道士に告白さえしている。

そうした感情の盛りあがりが宗麟に切支丹王国の実現に踏み切らせたのであろう。

しかし定例の評定では加判衆、同紋衆にもこの企てに反対する者は多かった。冷静な彼等から見ると、この企ては島津と必ず事を構えることになり、島津と戦えば、その隙《すき》に中国の毛利輝元《てるもと》や肥前の竜造寺隆信《りゅうぞうじたかのぶ》が大友領に侵入してくる怖《おそ》れがあるのだった。

「両国どころか、三方より攻めこまれます」

と大友家の軍師である角隈石宗《つのくませきそう》がまず反対した。斎藤鎮実《しげざね》をはじめ他の重臣も反対意見に同意した。

しかし加判衆の一人で矢乃の兄の田原紹忍だけが宗麟に媚《こ》びた。妹の矢乃を離婚されてから紹忍は脆弱《ぜいじゃく》になった自分の立場を何とか恢復《かいふく》しようとしていた。

「われらが兵は両豊、両筑、両肥より集めれば三万五千をこしましょう。更に伊予《いよ》よりも兵を呼べば四万を越します。さればこれを二つに分け、府内さま（義統のこと）を後詰めと致して毛利を見張り、この紹忍が総大将となって島津と戦うてみせます」

紹忍のこの発言に皆は沈黙した。広間には白けた空気が拡《ひろ》がったが、宗麟が紹忍の作戦を承認したため、これ以上、異を唱える者はなかった。

天正《てんしょう》六年九月四日（陽暦十月四日）、洗礼を受けて四十日、宗麟は切支丹の家臣三百人を主体とする親衛隊を率いて臼杵から船に乗った。

船には白緞子《どんす》に真紅の十字架をそめ、金糸の刺繡《ししゅう》をした大旗をたて、更に多くの十字架の旗が飾られていた。同船した者には新しい妻の露(ジュリヤ)、カブラル神父、トルレス神父、更に老いたアルメイダ修道士で、アルメイダは病弱な宗麟の健康を守るためである。更に田原紹忍から養子をやめさせられたあの親虎《ちかとら》も加わっていたという。

船団は延岡ちかくに着岸した。既にこの一帯は佐伯惟教《さいきこれのり》が五ヶ月前の進撃で占領していたし、また田原紹忍が総大将となり三万の大軍を率いて南下していたから宗麟は既に日向《ひゅうが》のすべてを島津氏の侵略からとり戻し、大友領に加えた気持になっていた。

「伊東義祐《よしすけ》の申した山川うつくしき土地とはどこか」

と彼は佐伯惟教にたずね、伊東氏の居城だった松尾城の北、五ヶ瀬川の支流、北川の流れる平野に案内させた。

秋の陽ざしがその平野を囲む狐色《きつねいろ》の丘陵に柔らかにさしていた。北川の川ぶちは薄《すすき》の穂で埋まり、それは銀色の沼沢のようにも見えた。風がふくとその穂は小波《さざなみ》のように細かくゆれた。

そして丘陵の上に巻雲《けんうん》が二つ、三つと浮いていた。

騎馬の供は列をなして進み、駕籠にのった宗麟はこれらの風景をじっと眺め、やがて眼《め》をつむった。

彼の耳の奥にはひとつの旋律が流れていた。それは昔、府内の教会《エクレシア》に宣教師たちに招かれた折、白い服を着た日本人切支丹の子供たちが奏《ひ》いてみせたビオラの調べだった。連れてき

た長寿丸(義統)がまだ五歳だった時だ。アルメイダ修道士に、

「この音色のこと、そちたちは何と申すか」

とたずねると、修道士はこう答えた。

「ムジカと申します」

憶《おぼ》えている。あの汚れない旋律も、心たかまるような調べも。

宗麟は眼をあけて呟《つぶや》いた。

「この土地を向後はムジカと呼ぶことにしよう」

無鹿《むじか》こそ宗麟の汚れのない理想王国であるべきだった。

駕籠からおり彼は伴ってきたカブラル神父とアルメイダ修道士とトルレス神父に言った。

「ここを余は無鹿と名づけたいのだ。その昔、この修道士《イルマン》アルメイダが余にきかせてくれた音色の美しさを忘れたことはない。その思い出にその名をこの地に与えたいと思う」

老いたアルメイダ修道士が眼をしばたたき、嬉《うれ》し泪《なみだ》をこらえているかにみえた。

「ムジカ」「ムジカ」「ムジカ」

人々はまるで我とわが心に言いきかせるようにこの言葉を次々と呟きあった。

やがて仮教会と仮司祭館の建設がはじまった。附近の百姓たちが駆り出され、その半ばは彼等のあずかりしらぬこの建築作業にとりかかり、他の半分はここにある古い寺をこわすように命じられた。

「罰が当りませぬか」

と老いた百姓の一人がおそるおそる指揮をしている侍にたずねた。

「罰？　仏の罰か」

と侍は笑って答えた。

「お前たちの仏に罰を与える力があるのかよく見るがよい。もし何の災も起らねば、その仏はそれだけの利益《りやく》も力もなかったと考え、切支丹の教えに耳傾けることじゃ」

指揮をしているのは田原親虎だった。

彼を養子にしようとした田原紹忍はその頃、南下して耳川に至っていた。渡河点を守っていた島津軍は三万五千の大友軍団を支えきれず、財部《たからべ》城に逃げた。

紹忍はここから更に南の新納院の高城《たかじょう》をまず攻撃することにした。

主よ、私は、疲れました

高城《たかじょう》（現・宮崎県児湯《こゆ》郡木城《きじょう》町）は日向《ひゅうが》の宮崎平野へ進出する最重要な地点である。

高城のある山は現地に行ってみるとさして高くもなく、むしろ丘陵とよんでもいいほどだが、眼下を小丸《おまる》川と切原川とが交ってながれ、それが堀《ほり》の役割をしていた。この高城を守ったのは島津側の高城地頭の山田有信だった。城兵の数は五百とも千とも三千とも諸書によって違うのでよくわからない。

十月十九日、財部《たからべ》城から南下した大友軍団は田原紹忍を総大将としてこの高城を包囲した。各部隊の主だった大将は佐伯惟教《さいきこれのり》、田北鎮周《しげかね》、吉弘鎮理《よしひろしげなお》など大友の同紋衆、加判衆の重要メンバーであり、その数四万三千とも五万とも言われている。

さして高くない高城から見おろすと周囲の丘陵は大友軍団の旗さし物で埋まり、兵たちの騒ぎや馬のいななきまで手にとるように聞える。

山田有信はただちに救援を鹿児島の島津義久《よしひさ》に求めた。大友軍は鹿垣《ししがき》、防柵《ぼうさく》を引きやぶり、しかも近くの麓《ふもと》の砦《とりで》や民家を焼き払った。ために有信は外部との連絡を全く断たれ、将兵と共に本丸に孤立せざるをえなかった。

(何日、たてこもれば家久さまの軍勢は味方にこられるか)

それが山田有信はじめ城兵のただ一つの希望だった。有信は三の丸まで敵の侵入をゆるしたが数百挺《ちょう》の鉄砲で大友勢を撃ちに撃ちまくっている。

二十二日、小丸川まで進出した大友軍は垣を結び、戦線は膠着《こうちゃく》した。

高城から救援を求める使者が鹿児島につくと島津義久はただちに総動員令を出した。フロイスによると「義久は高城を失えば日向を失い、薩摩《さつま》国さえ危険に曝《さら》される」と考えたという。

「そこで島津殿は自国に危険が切迫しているのを見ると、国内の全地方から人々の召集を図り、老幼男女を問わず、ついには武器を手にしうる者はことごとく、いかなる逃口上も許さず祖国の自由のため参集するように命令した。各人は、四、五日分の米を帯に携えよ、その糧食がつきる時には勝敗は決していなければならぬ。このようにして確実に五万人に近い者が動員された」

一日千秋の思いで救援を待っている高城将兵の願いにかかわらず、島津の進撃は雨にたたられて速度が鈍った。

十一月二日　義久、佐土原《さどわら》着
十一月三日　御一衆、国衆、一所衆、地頭、悉《ことごと》く祗候《しこう》。この日、終日の御評議

三日、四日、五日、六日、七日、終日雨

この雨で島津軍が足踏みをしている間、高城を囲んだまま大友軍はほとんど動いていない。むしろ田原紹忍たちは敵は大友の大軍に怖《おそ》れを抱いて前進しないのだと錯覚した。

「さらば、和睦《わぼく》談合のため、島津家久をわれらが陣に出向くよう、申入れを致しては如何《いかが》か」

と佐伯惟教などは主張し、事実、島津側の記録では豊後《ぶんご》陣より、そのような申入れがしきりにあったと述べられている。

大友軍は積極的に島津軍に攻勢をしかけようとする田北鎮周のような筑後《ちくご》、筑前の武士団と、敵の動きを見てこれを撃つべしという佐伯惟教たちの慎重派との二つに意見が分れていた。軍師の角隈石宗《つのくませきそう》もこの慎重派の一人だった。

「ならば各々方は好きなようになされよ」

と怒った鎮周は立ちあがって、

「この鎮周においては目の前に見える敵を見逃す分別は承知しがたい。夜明けに打出し、みごとに討死してお目にかける」

そう言って陣屋に引きあげた。

この十日の評定の翌日、島津軍の主力は高城から三十余町の財部に進出、他の部隊もこれに従って大友軍と対峙《たいじ》した。

島津義久は布陣にあたり、高城のそばを流れる小丸川の南に伏兵をかくし、その平地に大友軍を誘う作戦を考えた。

十一日。

その小丸川の南岸から島津側が戦を挑《いど》んできた。もちろん最初は小部隊で大友軍を誘発するためである。

この作戦に大友側の臼杵《うすき》惣左衛門《そうざえもん》、柴田《しばた》作左衛門、斎藤進士兵衛尉の部隊が引っかかった。彼等は総大将、田原紹忍の下知も待たず、小丸川を渡河、突撃にかかった。

義久のかくしていた伏兵は突撃隊を周りから押し包んで、反撃した。

大友軍の本陣からは臼杵、斎藤、柴田の軍勢が引き裂かれ、全滅していく光景が手にとるように見える。敵は勢いに乗じて大友軍の陣所のひとつに火をかけ、その隙《すき》に乗じて高城に走りこんだ。

「敵は必ずわが誘いに乗って参るぞ」

と根白坂に本陣を移して、義久は明日こそ、本当の決戦になるだろうと弟の義弘《よしひろ》や将兵に告げた。

十二日の早朝、寒さはきびしかったが島津軍は義久の下知に従って固唾《かたず》を飲んで敵の攻撃を待っていた。

やがて無数の石を転がすような地響きが大友軍の陣から聞えてきた。音はこちらに近づいてくる。

「敵襲ぞ」

待ちかまえていた義久、義弘は法螺《ほら》貝を吹かせ、鉄砲隊を前面に待機させて、怒濤《どとう》のような敵の騎馬の響きを待った。

大友軍は主戦派の田北鎮周を先頭に、それを見て決戦やむなしとみた佐伯惟教もこれに呼応して、小丸川の上瀬、下瀬を渡河して全力あげて敵陣に突入した。

最初は大友軍が優勢だった。義弘は軍団を率いて正面から迎えうち、左側面から島津以久《ゆきひさ》、忠武の軍勢が大友軍を衝《つ》いた。

この側面攻撃が大友軍を混乱させ、無秩序にさせた。小丸川には当時、竹原山の麓に淵《ふち》があり(その淵を現地で探したが現在では見当らない)、そこに多数の大友軍将兵は追いつめられて溺死《できし》したという。

午前八時から午後三時まで小丸川の河原で行われた白兵戦は完全に島津軍の優勢となった。高城の城兵も一挙にこの乱戦に加わった。各貫原《かくかんばら》とよばれる荒野一帯に大友将兵三百が踏みとどまったが、これ以外の大友軍は潮のように背後から追撃してくる島津軍に寸断され、蹂《じゅう》躙《りん》され、撃破された。将は兵を捨て、子は父を捨て、槍《やり》で突かれ、草も地も血で染めて、ひたすら逃げに逃げている。

戦死した主だった将は佐伯惟教とその息子、田北鎮周、吉弘鎮理、臼杵鎮賡《しげつぐ》。この名を見ても大友家の重臣たちの主だった者を失ったことがわかる。戦死者の数は三千人。

総大将、田原紹忍の敗走ぶりについてフロイスはいささか冷酷な筆致で書いている。

「彼は巨体で既に四十歳以上だったのに、まるで足に羽が生えたごとき敏捷《びんしょう》さで逃走し、年若い家来たちがやっと付いていけるほどだった。危険から遠ざかり、鉄砲の音すらかすかに聞えるくらいの地点まで来た時さえ、恐怖のため怯《おび》えきり脇道《わきみち》に入って血尿をたらしたほどである」

総大将がこの有様だったから将兵は敗戦のいっさいの責任と敵前逃亡との罪を紹忍に集中している。

「日本西教史」によると、この時、逃亡する紹忍を囲んで、かつて自分を幽閉し苛《さいな》んだ男を助けたのは親虎《ちかとら》だったといわれている。親虎はこのため重傷を負い、養父だった男の胸に抱かれて死んだという。

とに角、完膚《かんぷ》なきまでに叩《たた》かれた。惨敗《ざんぱい》だった。高城河原から北の耳川まで累々《るいるい》と大友方の死体で埋ったと言うからその敗戦ぶりはすさまじいものがあった。

雨がふりだした。無鹿《むじか》も霧雨である。その雨のなかを亡霊のように敗残兵の姿が列をなして現われ、味方の大敗北を伝え、島津勢が間もなく追撃してくると言って道に倒れた。噂《うわさ》はパニックをひき起し、パニックはあらぬ流言を無責任にまき散らした。

宗麟《そうりん》は逃亡してくる将兵をまとめたが、妻の露やその娘たちには、

「臼杵に逃げよ」

ときつく命じ、教会のカブラル神父にも修道士にもただちに豊後に引きあげることを勧告した。

次から次へと耳に入ってくる報告と力つき果てた敗残兵の話は元来、臆病《おくびょう》な宗麟をまったく恐怖の虜《とりこ》にしてしまった。

(敵は既に、二、三里に参っております)

家臣たちの叫びに混乱した宗麟は、その財産の大半と用意したポルトガル製の大砲さえ放棄して教会の神父たちに挨拶《あいさつ》さえもせずに逃亡しようとした。

カブラル神父は昔、軍人の経験もあるためにこういう噂やパニックにめげず踏みとどまって戦うべきだと進言したが聞き入れられなかった。

宗麟が多くの宝物をここに遺棄したように神父たちも「理想の基督《キリスト》王国」を建てるために携帯した大量のダマスコ織の反物、絹織物、ビロード、ミサ用の葡萄酒《ぶどうしゅ》などを放擲《ほうてき》しなければならなかった。

馬も駕籠《かご》もなく宣教師たちは人気のない山道を雨にうたれて歩いた。食べるものもなかった。

それだけではない。共に敗走していく大友の将兵たちはこの敗戦は天罰だと言いはじめた。神父たちは身の危険さえ感じた。兵士たちは口々に、

「お家形《やかた》が切支丹《キリシタン》となられ、神仏を崇《あが》めることをやめられたゆえに豊後は罰を受けたのだ」

と神父を罵《ののし》った。

ようやく宗麟とその家族のいる地点にたどりつくと、宗麟は小さな竹で小屋を作らせて蒼《そう》白《はく》な顔で妻たちと坐《すわ》っていた。鍋《なべ》や釜《かま》がないので食べるものは青竹に入れた焼米を火であぶって口に入れた。そして夜は雨に濡《ぬ》れた地面に横たわって浅い眠りを取った。

なぜ神の理想国を作るための聖戦がかくも完敗をしたのか。神はなぜ自分たちを助けなかったのか。

それは雨の音を聴きながら眠れぬ宗麟の悲痛な疑問であったろう。小屋の隅《すみ》では侍女たちに守られながら露が悲しそうな眼《め》でこちらを見ている。

「神《デウス》の御心にすべてお任せ致せ」

宗麟は露にたいしてだけではなく、胸を黒雲のように覆《おお》う自身の疑惑を鎮《しず》めるためにカブラル神父が言った言葉を呟《つぶや》いた。

その言葉はフロイスが「日本史」で記述しているものと相通ずるのだが、神父たち自身にもそれは不可解な謎《なぞ》であり、解きがたい疑問だったようにみえる。

「いったい誰が豊後国王の上に不測の事態が生じると想像しえただろう。けだしこの国王こ

そは基督教信仰の高揚と、神道ならびに仏教の打倒のために戦う人だった。だから戦の正当さは彼の側に存する。この豊後の国王は薩摩の国王とは比べものにならぬほど強大であり、多くの領国を有し、彼よりもはるかに偉大な領主で彼よりも多く臣従されている。この国王にすべてが裏目に出ようなど何びとが考えたであろうか。だが事実そのようになったのだ。しかし我らの主なるデウスはその高遠な御智恵《ちえ》により、人間が選びえる道とは大いに異なる道とか仕方で物事を導きたもう……」

このフロイスの文章を読むと彼の苦衷《くちゅう》がよくわかる。彼もカブラル神父もその他の宣教師たちも予想とまったく反したこの敗戦にどう意味をつけ、どう解釈していいのか、わからなかったのだ。

宗麟にとっては神父以上にこの敗戦は衝撃だった。その信仰がその衝撃に潰《つぶ》れず、彼が神の意向を疑わなかったのはなぜだろう。

野津《のつ》で待機していた宗麟の嫡男《ちゃくなん》にして大友家の国主である義統《よしむね》は内室と共にその夜もフロイス神父から教理の話をきいていた。

夜十時、宗麟の書状が届いた。大友軍は全員敗走、戦死者の数さえ不明という内容のものである。

義統は「豊後勢の不甲斐《ふがい》なさが無念でならぬ」と洩《も》らしただけだったが、彼が受けた打撃はフロイスにはよくわかった。

当日、次から次へと悲報が入ってきた。その悲報のなかから義統は左のようなものをフロイスに与えている。

「たった今、我軍勢が全滅したとの確実な情報を受理した。兵士の大部分は戦死したが、その中にはわが精鋭がことごとく含まれている。わが父上も如何《いかん》ともなすをえず、すべてを捨てて急ぎ逃亡しつつあり、既に野津から七里の宇目に来ている。わが領土は敵に蹂躙されつつあるが、余の信仰には何の変りもなく主《デウス》へ不平を抱くことはない。ただひとつ心を痛めるのは尊師がわが軍勢の敗北に接して悲しまれるのを見ることとである」

フロイスの記述を見ると宗麟たちの脱出は実に悲惨だったことがよくわかる。

急遽《きゅうきょ》の出発のため食べるものもなかった一行は前夜に残した僅《わず》かの焼米と竹筒の水を飲んだ。宗麟もその家族も着のみ着のままで河川を渡ったため衣服は濡れきっていた。

二日目、谷のふかい高い山を登った。道は険しく、滑りやすく、疲労と飢えのため渓流《けいりゅう》を渡る気力さえ起きぬほどだった。日まさに沈まんとした時、遥《はる》かな野で炎がかすかに動くのが見えた。一団の農夫たちが豆と黍《きび》との雑炊を煮ていたのである。彼等に哀願してわけてもらったその食べ物は宗麟にさえ今まで口にしたことのないほどおいしかった。

夜、ようやく豊後に入ることができた。ある寺に宿泊をたのんだが住職はこれを拒絶している。

このような経験をへて、宇目から臼杵の隣りにある津久見《つくみ》にたどりついた宗麟はその地の寺院に宿泊した。臼杵には敗戦によって反切支丹的な空気がみなぎり、宗麟自身の権威も失墜していることが、ここでもまざまざと感じられた。

戦死したと思われた田原紹忍がその臼杵に突然姿をあらわしたのは一ヶ月後である。町はその姿を見て混乱し、人々は臼杵城の麓《ふもと》に集まって非難と罵声《ばせい》を浴びせた。

紹忍は宗麟の元夫人であり、彼の妹でもある矢乃《やの》と共に城壁にたち、敗戦の非難に答えた。

「聞くがよい。豊後の兵たちは雄々しく、怯《ひる》まず敵と戦った。そのことは佐伯《さいき》親子、田北鎮《しげ》周《かね》、木村親慶、吉弘鎮理《しげなお》、そしてあの若い臼杵鎮賡《くみ》までが討死いたしたことでもわかるではないか。それなのに我らが敗れたのは天が我らに与しなかったゆえである。天が我らに与しなかったのは」

紹忍はそこで言葉を切った。冬の陽《ひ》のなかに集まった群衆は沈黙して次の言葉を待った。

「かの南蛮人たちがわが豊後に参り、邪教を広め、尊き仏像をうち砕いたためである。申しにくいことながらお家形さままでがその邪宗に誑《たぶら》かされたもうた。天はそれゆえ罰を与えたのである」

群衆にまじった仏僧たちは黒衣から腕をあげ、

「かねてより我らの申した通りぞ」

「南蛮人を追え」

と口々に叫んだ。

この模様は臼杵から遠からぬ津久見の寺院にいる宗麟のもとに即座に知らされた。ふしぎなことは過去においてあれほど弱く、動揺しがちだった宗麟がこの時、信念を変えなかったことである。

高城の大敗戦はとも角、あれほど夢みた無鹿の理想国がついえたことも宗麟の信仰を弱めなかった。

「我らが主イエスも地上においてはその夢を具顕することなく、みじめな死を遂げられました。主《デウス》はそれにかわって天に亡《ほろ》びることなき王国を与えたもうたではありませぬか」

とカブラル神父が慰めて言うと、宗麟は大きくうなずき、

「この試練は余がこれまで多くの者に与えた罪障の償いである――そう考えはじめた。無鹿からこの津久見までたどりつく山道の辛《つら》さや飢えは耐えがたいものであったが、余は露と共に、刑場に叩《たた》かれ、唾《つばき》をかけられ重き木を背負って歩かれた主の苦しみを思うて耐えることができた。臼杵においていかに多くの者がパードレや余を罵り、嘲《あざ》けろうとも、同じ苦しみを主が受け給《たも》うたことを考えれば、むしろそれは悦《よろこ》びである」

と答えた。

豊後《ぶんご》における反切支丹派にとってこの日向《ひゅうが》敗戦は絶好の機会だった。その先頭にたったのはもちろん矢乃と田原紹忍である。

矢乃は宗麟の自分にたいする憎しみの深さを知っていた。かつての夫にたち向う愚かさも承知をしていた。彼女はこの場合、最初に説得すべき相手は嫡男義統の嫁であることに気づいた。そして嫡男に仕えている切支丹になったばかりの侍たちにも説得が進められた。

いわば外濠《そとぼり》を埋めることで義統を孤立させるこの謀略は「予想していた以上に成功した」（フロイス）のである。

義統は矢乃からは激情を受けついでいたが、同時に宗麟が若い頃《ころ》持っていた移り気な面、危険にたち向わず回避したがる性向をより強く持った男である。

切支丹に好奇心と熱意とを抱いた時は、義統は父の宗麟と競うほど、行きすぎた信仰的行為を演じてみせた。肉欲《にくよく》の誘いを退けるため、寒中、水を浴びたなどの逸話がそれである。

だが熱しやすいことはまた、さめやすいことでもある。

母の矢乃や伯父にあたる田原紹忍の執拗《しつよう》な威嚇《いかく》や説得、更に矢乃の命令に背くことのできぬ妻の信仰放棄、そして日向敗戦を批判する家臣や仏僧たちの渦中《かちゅう》で義統は次第に気弱くなっていった。

（余は父上のごとく家形から退いたのではない。余にはこの領国を鎮めねばならぬ務めがあ

る）

彼の切支丹への関心は好奇心はあったが深い心の根拠から出たものではなかった。

例によってフロイスは激烈な筆致で教会から離れていった義統を非難している。

「嫡子（義統）は頽廃《たいはい》的な肉欲の誘惑と腐敗に強烈に魅きつけられ、かつて放埓《ほうらつ》な刺激をほしいままにしたことや、同年輩の仲間たちと欲情に走った思い出が甦《よみがえ》った……その結果、哀れむべきこの若者は父である国王（宗麟）の忠告を無視するようになった」

フロイスは義統のおかれた苦しい立場に同情を寄せていない。義統は敗戦という困難な状況で家形として考えざるをえない事情があったのだ。それはかつて父の宗麟が悩み、苦しんだものと同じだった。

重臣たちはむしろ義統の教会離反に賛成した。これ以上、不平不満を持った仏門の家臣団を刺激したくなかったからだ。

「国主さま（宗麟のこと）は既に家形の御身分を退かれておられる。されば向後、政の儀については国主さまの御意見を改めて伺うことはない」

同紋衆たちも宗麟の権威を次第に軽視しはじめた。

（私はもう俗世のすべてに疲れました）

宗麟は祈るたびに目にみえぬものにそう話しかけていた。

（余生はそう長いとは思われませぬ。ならば願わくば、俗世にかかずらわせず静かに生かせてくださりませ）

津久見の寺院の住職は宗麟やその妻たちが切支丹の神に祈ることに眼をつぶっていてくれた。

しかし遠からぬ臼杵《うすき》で起っている出来事は宗麟の耳に次々と入ってきた。宗麟はほとんど関心のない気持でその報告を聞いた。心を占めるのは不安や恐怖のない静かな余生だった。

彼は高城《たかじょう》の敗戦も無鹿に作ろうとした理想の国の崩壊も神が与え給うた試練だったと考えようとした。その試練を通して神が彼の心の思いあがりを知らせるのだと思おうとした。そう結びつけることでやっと彼は心のすべてに辻褄《つじつま》を合わせることができるのだった。

その年のクリスマス、津久見によばれてミサをあげたフロイスは次のように語っている。

「私は国王さま（宗麟）の信仰からどんな大きな慰めを受けたか、それを表わすべき言葉もありません。

クリスマスの夜、国王さまは奥方さまと共に私を驚嘆させるほど立派な準備とはきはきした態度で罪の告白をなさいました。折から異常なまでの寒さで国王さまも私も震えていました。祭壇を作る時、国王さまはお体の具合がよくないにもかかわらず手ずから準備されました。

そのあと国王さまは奥に入って祈っておられましたが、真夜中私がミサの支度が整ったことを告げさせますと、さっそく出席され、ミサの間中、跪《ひざまず》き、手を合わせておられました。同夜の寒気は私が日本で味わったいかなる寒さよりも厳しいものでした。ミサの後、私たちは神のことやザビエル神父の思い出などを語りあいましたが、私が夜明けのミサまで少しお休みになるよう勧めてやっと話を終えたほどです」

宗教的な生活で余生をすべて包もうとした宗麟の気持はその夜、彼が祭壇の前で跪いてフロイスに誓った次の三つでもよくわかる。

㈠たとえ全世界の人が信仰を棄て、余の命を奪われようとも、信仰を棄てぬことを約束する

㈡余は全力をつくし、神の掟《おきて》を守るのみならず神父たちの勧めや忠告に従うことを約束する

㈢余は死に至るまで婚姻の破戒者となることなく、いかなる肉慾によっても魂を汚《けが》すことは致さぬ

この誓いが本心から出たものであり、フロイスの報告が真実ならば、宗麟はもはやかつて持っていた領主としての特権のすべてを棄《す》て、さながら修道士や神父と同じような信仰生活に入ろうとしていたことがよくわかる。彼が望んだものは長い間充《み》たされなかった平安だった。たえず心を脅《おび》やかし続けてきた家臣の反乱や謀反《むほん》にたいする不安、それを鎮めねばなら

ぬ心労の連続。そのくせ家形《やかた》として守護としての名誉欲、毛利にたいする警戒——それらすべてから逃れて精神世界にだけ没入する静かな生活を宗麟は今、ほしかったのだ。

（主《デウス》よ、私は既に疲れております）

クリスマスの夜も氷のような板敷の間に跪いて彼が神に話しかけた最初の言葉はこれだった。

（主《デウス》よ、もう何も望みませぬ。俗世を離れ、ひたすら主の御腕のなかで眠ることができますように）

しかし——

神は宗麟の望む心の静かさと魂の平安とをまた与えなかった。反乱が起ったのである。

大友軍が島津に大敗したニュースが拡《ひろ》がると、かねてから機会を狙《ねら》っていた肥前の竜造寺《りゅうぞうじ》隆信《たかのぶ》が突然、筑前《ちくぜん》に侵入したのだ。

狡猾《こうかつ》な隆信は島津、大友の両軍が激突した時、既にこの侵入を企てていた。家老、鍋島信《なべしまのぶ》昌《まさ》を先陣にして二万余の軍勢を編成、一旦《いったん》、筑後に攻めいったが大友側の地侍たちの意外な抵抗を受けたため十二月朔日《さくじつ》、方針を変更して筑前に討ち入ったのである。

大友家の弱体を知った筑前衆たちはただちにこれに応じた。もともと筑前衆の秋月種実《たねざね》、筑紫広門たちには反大友の気風が強く、毛利元就《もとなり》の生前には毛利家の煽動《せんどう》と支援のもとに謀反を起したことも再々ある。

竜造寺隆信は彼等に参陣を促した。もとより筑前衆たちが反対する筈《はず》はない。秋月種実や筑紫広門は竜造寺軍の案内役となって大友側の立花城と岩屋城とを包囲した。

立花城の城主、立花道雪はかつての名を戸次鑑連《べっきあきつら》と言い、毛利氏に内応して宗麟に叛《はん》して亡《ほろ》びた立花家の名をもらって立花道雪と改名した武将である。

彼は雷にうたれて下半身が動かなかった。午睡の折、落ちた雷を斬《き》って感電したためである。

道雪はフロイスが「最も武勇あり優秀な大将である」と賞讃《しょうさん》している。岩屋城の城主、高橋紹運も才徳勇猛の良将といわれた大友側の重臣である。

この二人の守る城だけは竜造寺隆信の軍勢も歯が立たなかった。

だがそれが切掛けとなって筑後の国人たちは次々と竜造寺側に味方をするようになる。天正《てんしょう》六年から七年の間、大友はたとえば筑後古賀の三池城や上妻郡の山下城をも失っている。山下城の城主である蒲池《かまち》鑑広《あきひろ》などよく敵を防いだが、兵糧《ひょうろう》つきて遂《つい》に降伏した。

筑後が侵されているとの報は次々と入ってきたが豊後の大友家ではこれに反撃するにはもはや力が足りない。日向での敗戦で大友家は有力な武将を数多く失い、更に南の島津氏の再攻撃に備えねばならなかったからである。

「義統と同紋衆は如何《いかが》する気であろうか」

と津久見で宗麟も不安げにそう洩《も》らすようになった。

だが彼は既に大友家の家形でない。高城での厳しい敗戦と切支丹《キリシタン》保護政策のためにかつての彼の勢威を同紋衆も加判衆たちももはや認めてはいなかった。

のみならず宗麟はもう国事に発言する気も義統に代ってこの非常事態を逃れる方法を考える気持も失《う》せていた。

「余はもはや守護でもなければ家形でもない、大友家のことすべては義統に任せた」

と彼はたびたび露にそう語った。

「余はただ孤僧の如《ごと》く、この津久見に隠居して祈りと修行に明けくれるのみだ」

露は矢乃とちがって、そういう宗麟に決して口を出さず、反対もしなかった。逆に宗麟のそばに共に跪いて祈りの毎日を送るような女性だった。

宗麟が傍観者的な立場をとったのは彼が臼杵の国政に口を出せば、矢乃や田原紹忍の切支丹攻撃に更に口実を与えることを知っているからでもあった。

「あの者たちは、竜造寺隆信の筑前攻めまでも余が切支丹の教えを学んだせいにするであろう」

と彼は夜ひそかにたずねてきた切支丹の家臣に語った。

「パードレたちは御安泰か。害を加える気配はないか」

宗麟の不安は何よりもそこにあった。

「今のところはなぜか危難を逃れておりまする」

と家臣は声をひくめて答えた。

「それよりも臼杵御城内にて御重臣のなかで何事か起りました気配でございます」

「重臣のなかで。義統から何も申して参らぬ」

彼は詳しい事情を義統に報告させるようにその家臣に命じた。

事情はこうだった。

田原紹忍の本家であり、田原家の惣領《そうりよう》である田原親宏《ちかひろ》がこの非常事態を逆に利用して分家の紹忍の力をそごうと企てたのである。

彼は他の重臣や義統にも相談なく、突然、臼杵の邸宅を引きはらい、本拠地の国東《くにさき》に戻っていった。

そして彼は紹忍がかつて宗麟から与えられた国東郷と安岐郷の二つを戻すことを要求してきた。

報告してきたのは年寄り衆の一人で木付鎮秀《きつきしげひで》という重臣である。

「余はもう家形ではない」

と宗麟は首をふった。

「事情だけわかればそれでよい。その後の処置は同紋衆と加判衆、そして義統に任せる」

「新しきお家形さまは」

と木付鎮秀は言いかけて、苦しそうに沈黙した。

「かまわぬ、申してみよ」

「御嫡男さまには、この難事を鎮めるにはまだ御力倆《ごりきりよう》不足にござります。されば上さまより御指図を賜わりますよう、この木付鎮秀、お願いにあがりました」

「余に？　余に臼杵に戻れと申すのか」

「はい」

宗麟は苦笑して首をふった。彼にはこの津久見での静かな毎日だけで充分だった。主よ、私はもう疲れました……。

ヴァリニャーノ神父の野望

木付鎮秀《きつきしげひで》の申し出を拒んだものの、宗麟《そうりん》は不安だった。耳に入ってくる臼杵《うすき》の状勢はすべて不安を助長させるようなものばかりだった。

そしてこの心配を更に決定的にしたのはその年（天正《てんしょう》六年）が終り、新しい年がはじまって間もなくである。

ルイス・フロイス神父の使いが肩で息をしながら宗麟の住む津久見《つくみ》の寺院に駆けつけてきた。

「何事か」

庭で平伏をしているその日本人伝道師に宗麟は虫の知らせのようなものを感じながらたずねた。

「パードレ・フロイスより火急のことゆえ、お耳に入れたき儀をお伝えに参りました」

伝道師は息が苦しいのか、途切れ途切れに、

「本日、臼杵の義統《よしむね》さまが御家来をさし出されて向後はパードレたちとの交りをできる限り

断ちたき旨《むね》教会に御沙汰《ごさた》なされました」

「義統が……なにゆえか」

「その御家臣はこう申されました。殿の周りの事情あい変り、殿御自身も御母上たちの御機嫌《ごき》《げん》をあまりに損ねるわけにも参らず、今までの如《ごと》くお振舞いになれなくなった、と」

宗麟はかすかにうなずいた。

宗麟は嫡男《ちゃくなん》の義統が父である彼の欠点すべてを受けついでいることを知っていた。神経質で、感情の移り変りが烈《はげ》しく、また時として強情だったり気弱になったりする宗麟の弱さを義統はそのまま持っている。

日向《ひゅうが》の敗戦による家臣たちの反撥《はんぱつ》や反抗、それに乗じて矢乃《やの》がかつて夫を責めたてた以上に今度は義統に辛《つら》く当っているにちがいないのだ。

そしてその悪化する状況に義統は遂《つい》に耐えられなくなったのだろう。

「パードレやイルマン（修道士）と臼杵の教会は嫌《いや》がらせを受けているのか」

伝道師は黙って眼《め》を伏せた。

「許す、正直にありのまま言うてみよ」

「はい。義統さまが我らの教会《エクレシア》にお越しくださる日の朝、私は教会の畠《はたけ》に殺された子供が放《ほう》り投げられておるのを見つけました。夜の間、何者かがそのような不吉な所業を行い、義統さまのお目にとまるように致したのでござりましょう」

「それだけか」

「教会の戸口には毎日貼紙《はりがみ》がされております」

「何と書いてある」

ためらった後、伝道師は口を開いた。

「汝《なんじ》らを八裂きに致そうとか、刀のためし切りを覚悟せよ、更に生きつづけると思うてか、など、さまざまの罵言《ばげん》が書かれております」

「主イエスも同じような罵言を受け、唾《つばき》をかけられ給《たも》うた」

「仰《おお》せの通りでござります。されど、パードレさまやイルマンさまたちは切支丹《キリシタン》の葬《とむら》いにさえ、死を覚悟して参っておられます。イルマン・ギリエルメさまは府内のはずれにて濠《ほり》に落され、ゴンサルベス修道士は槍《やり》にて頭を傷つけられました」

伝道師は更に数日前に起った出来事を語った。府内教会のパードレ・フィゲイレドは三里先に住む病人の告白をきくため、その家に赴く途中、敵意を持った農夫たちに囲まれ、丘に連れていかれて殺害されかかったが、さいわい、その土地を支配している地侍によって助けられたという。

「義統にはもはや教会を守る気持はつゆだにないのか」

「そのように思われまする。義統さまは今までとは違い、仏僧たちが城内に入ることもこわれた寺社を造り変えることも許されておられますゆえ」

主よ、この俗世の醜い争いや憎しみを離れて祈りの余生に入ろうとしている私を……と宗麟は心のなかで呟《つぶや》いた……もう一度、濁世《じょくせ》に戻れと命じられるのですか。

宗麟は全身に疲労を感じながら伝道師の話を聞き終った。

「パードレ・フロイスに余が生きている限り、案ずることはないと伝えるがよい」

痰《たん》のつまった衰弱した声で宗麟がそう答えると、伝道師はそれでも不安の色を顔に残したまま立ち去った。

宗麟の約束にもかかわらず、この男の心配の消えぬのは無理もなかった。臼杵における切支丹迫害が日を追うごとに烈しくなり、特に義統が今まで退けていた仏僧たちをふたたび館《やかた》に迎え入れてからは宣教師、修道士にたいする侮辱、罵言、威嚇《いかく》は公然と行われるようになったからである。

夜半、教会の扉《とびら》を烈しく叩《たた》く音がした。

「津久見よりの使いである。門をあけられよ」

扉を叩きながら大声で叫ぶその声を聞いて不寝番をしていた修道士が門をあけようとするのを上司のカブラル神父がとめた。

「開けてはならぬ。私に任せなさい」

カブラル神父は戸の内側から日本人同宿に叫ばせた。

「津久見よりのお使いならば、切支丹の方か」

「もとよりじゃ」

　と相手は即座に答えた。

「切支丹ならば、主の祈りを御存知であろう、その祈りのはじめの言葉を言うてくだされ」

　この問いにたいして沈黙があった。やがて、

「今夜は見逃してやる。されど更に生きながらえると思うなよ。汝らの素首必ず切り落してくれる」

　という声と共にそれに応じた五、六人の笑声が教会の外でした。

　府内でも殉教を覚悟してカブラル神父以下、全員が教会にたてこもった夜もあった。府内沖の浜にすむ熱心な切支丹の侍が弟と武装して知らせにきたのである。

「田原紹忍さまが、早朝にもこの教会《エクレシア》を襲う気配がござります。その儀については臼杵の殿（義統のこと）のお許しもえている由《よし》にございます」

　この日本人信徒の兄弟の知らせで教会内の宣教師、修道士全員は一室に集まり、「悦《よろこ》びをもって死を迎えるように。我らは日本におけるイエズス会最初の殉教者になろう」と励ましあい、死に備えて罪の告白をそれぞれにした後、たがいに肩を抱きあって最後の別れの挨拶《あいさつ》を行った。

　宣教師たちはもちろんだが、逃げることのできた日本人の同宿たちも教会に残ることを選んだ。

だが紹忍の襲撃は朝になっても行われなかった。行われなかったが、それが実行されても一向にふしぎではないほど弾圧が次々と行われていたのである。

迫害がやや下火になったのは天正七年の暮。ちょうど義統が正式に同紋衆たちから大友家の統領として承認をえた直後、国東《くにさき》半島で謀反《むほん》が起ったからである。田原本家の養子であり、その父もまた反乱の姿勢をみせた田原親貫《ちかつら》が浦辺水軍を率いて海から府内に侵入しようとした。

親貫はこの反乱のために ひそかに姻戚《いんせき》でもある反大友派、筑前《ちくぜん》の秋月種実《たねざね》と筑後を侵略した竜造寺隆信《りゅうぞうじたかのぶ》、そして中国の毛利輝元《てるもと》とに連絡をとっていた。

反乱決行の日は雨だった。雨は次第に強さを増していた。親貫は水軍を引きあげさせた。府内と臼杵の寺々では鐘を鳴らしてこの反乱を知らせた。義統は雨中次々と早馬の使者を国東に走らせ、田原親貫をなだめようとしたが親貫は、

「聞く耳、持たず」

とこれを一蹴《いっしゅう》した。

府内では早速、同紋衆、他紋衆たちの評定が開かれた。評定中にも、

「田原親貫は鞍懸《くらかけ》城にたてこもり、安岐《あき》城にも兵をおいて迎えうつ模様にござります」

と次々と報告があった。

陰気で重苦しい空気が広間にこもっていた。集まった者は田原親貫の反乱の原因はもともと田原家の分家である田原紹忍と本家との対立にあることを熟知していたからである。

「この反乱は大友家に向けられたものではござるまい」

と一万田《いちまだ》宗慶が皮肉っぽく言った。

「田原本家と分家との争いに我らがわざわざ兵を出すには及びますまい」

と彼は同席している田原紹忍に嘲《あざけ》るような眼をむけ、

「紹忍殿御自身が兵を率いて御本家と戦われればよいのじゃ。われらに関《かか》わることではござらぬ」

一万田宗慶の言葉に彼と同じように南部衆と言われる志賀、田北、入田《にゅうた》、朽網《くたみ》、などの同紋衆も同感の表情をみせた。日向遠征を主張して宗麟の機嫌をとった田原紹忍に彼等は不快の念を持っていた。

田原親貫の義父である親宏《ちかひろ》はかつて分家の紹忍に安岐と国東とをとられた恨みを持っていた。以後、その憤懣《ふんまん》は田原本家にくすぶり、親宏が癌《がん》で死んだあとも、養子の親貫にうけ継がれた。一万田宗慶はそのことを皮肉ったのである。

この発言を切掛けに同紋衆、他紋衆の間から次々と不満がふき出た。

義統はただおろおろするだけだった。彼は乱れたこの座を叱《しか》りつけて鎮《しず》まらせる勇気もなく、真蒼《まつさお》になってこれを見るだけだった。

（新しい家形《やかた》には治政能力がない）

その動揺した姿をみて誰もがそう思った。彼等は義統が最初は父の宗麟にならって切支丹に迎合しながら、田原紹忍や母の矢乃に責めたてられるとあわてて仏僧をふたたび城内に招き、社寺の再建を許す日和見《ひよりみ》主義者であることを蔭《かげ》で冷笑していた。

評定は結論の出ないまま解散した。

津久見の宗麟の前に再度、木付鎮秀があらわれた。彼は昨日の評定のことを詳しく宗麟に語り、

「もはや義統さまの御指図に従う者はございませぬ」

とはっきりと告げた。

「このままでは大友領国は竜造寺や島津、あるいは中国の毛利の意のままになり、荒れに荒れましょう。再度、御家のため、義統さまに代られて臼杵に戻られ、差配のほどお願い申しあげます」

「この老人に……何ができる。何度も申した如く余はもはや家形ではない。切支丹の祈りに身を捧《ささ》げる隠居者じゃ」

「上さまがお出にならねば、その切支丹僧は領内から追われ、切支丹は根だやしにされまする」

と鎮秀は宗麟の一番痛いところをついた。

それは（主よ私は疲れました）という宗麟の訴えに（お前には切支丹たちのため、なすべき事がある）と神が言っているようだった。

再度の評定が開かれた。

府内大友館の広間に宗麟が姿をみせたのを知って、居ならぶ同紋衆、他紋衆たちは思わず居ずまいをただした。

「そちたちの案ずること、ようわかった」

と宗麟は口を開いた。

「だがこたびの謀反はたとえ田原一族の争いにせよ、親貫が竜造寺や毛利と手を結んだことは大友家に弓引くことである。それを勘考し、一致してくれぬか」

そして老人はふかぶかと頭をさげた。

老いた宗麟の苦渋にみちた姿を見て反対派の南部衆の心も動揺した。彼等はたがいに顔を見あわせ、

「しばし別室にて我ら談合の上、お答え申しあげまする」

と許しを宗麟に乞《こ》うた。

別室で彼等は南部衆の一人、戸次鎮連《べっきしげつら》の義父にあたる立花道雪の書状について語りあった。道雪は既に宗麟と同じように隠居をしていたが、先の評定の話を耳にして南部衆十三人(志賀道輝、道雲、朽網宗策、一万田宗慶、戸次鎮連たち)に檄文《げきぶん》を送り、「田原親貫の不義、斟酌《しんしゃく》なきに非《あら》ず」(わからぬでもない)と言いながら、臼杵鑑速《あきすみ》や吉岡宗歓などの死後、豊後《ぶんご》は無道のみで他国からも嘲られているが、「一致協力して国を守り、義統《よしむね》を正しく補佐すべきである」と誠意をもって説いたのである。

この檄文とさきほどの宗麟の切なる願いとが南部衆たちの心を変えた。最後まで反対する田北紹鉄以外の者たちは別室からふたたび広間にあらわれ、条件を出して協力を約束した。

その条件とは義統補佐の四人を追放することと宗麟が少くとも三年は政務につくことだった。宗麟はこれにたいして義統に家形をやめさせることは反対し、その代り自分がこの嫡男を補佐する約束をした。

評定が終ったあと、宗麟は疲れをひどく感じた。

かつての評議や軍議は宗麟が出席しなくても臼杵鑑速のような加判衆が切りまわし、結論を出し、その結論を書院で宗麟がきくだけで充分だった。

時折、逆意を抱く者があっても宗麟が追討の命を出せば、それに逆らう同紋衆はまずいなかった。大友家の結束は家形を中心にして固く、領国の分裂を阻止する気持は一族共に持っていた。

しかし今日の雰囲気《ふんいき》を見ても南部衆たちは別室で独自に相談し、しかも条件を出すという結果になっている。

（余の代にして大友は終るのか）

ふっとその予感が宗麟の胸を横切った。

義統の弱点を父として宗麟はよく知っていた。

宗麟の神経質な性格と弱気な面とを更に強く持っていて、その上、感情的に物事を判断する。切支丹にのぼせたと思うと、今度はその切支丹を見棄てて顧みぬようになるのもそんな性格だった。

義統に「お家形の御力倆《りきりよう》なく」という同紋衆の批判はたしかに当っていると宗麟は思った。しかし義統がもう少し成長し、しっかりとした家臣が加判衆となれば、この批判や不満は静まるであろう。

宗麟が心配なのは自分がたびたび苦しめられた領内での謀反だった。義統があのままだと今度のように豊前《ぶぜん》や国東での反乱は次々と起るかもしれぬ。

毛利元就《もとなり》は世を去ったがあとを継いだ輝元もまた豊前、筑前の国人たちを使嗾《しそう》する方針は変っていない。竜造寺も島津も虎視《こし》眈々《たんたん》として侵入を狙《ねら》っている。

だがそれよりも宗麟には二人の子供、長男の義統と次男の親家との相剋《そうこく》が心配になった。

（わが父も弟の菊池義武《よしたけ》と生涯《しようがい》、争われた。わが弟の晴英《はるふさ》も次男に生れたことを不平と致し

ておった）

過去のことが走馬燈《そうまとう》のように頭に浮かんだ。

（兄、義統の不評を利して親家の側近たちが親家を立てようとするやもしれぬ）

不吉なその予想が現実化せぬために早く手をうたねばならぬ。

天の声のように宗麟の頭にある考えがうかんだ。

（親家を田原本家のあと継ぎと致すのは如何《いかが》か）

そうだ、そうすれば大友に対抗するほどの勢力を持った田原家を抑え、鎮めることもできる。

親家については宗麟が兄の義統に逆らわぬように禅僧にしようと寿林寺に入れたこともある。しかし親家はそれを嫌《きら》い、切支丹の洗礼を受けた。兄と同じように感情の烈《はげ》しい青年だが田原家の統領にすれば、それに満足するかもしれぬ。

この考えに一も二もなく義統も同紋衆たちも賛成した。

「向後、田原本家の統領は親家と定め、謀反を起した親貫より家督は取り上げるものとする」

そういう意味の沙汰《さた》が国東半島の地侍たちに布告された。

この扇をひろげたような半島では大友家の威力はまだ残っていた。海づたいにしか連絡ができず、修験道《しゅげんどう》の寺や宇佐八幡《はちまん》の力の強いこの地に布告は僧侶《そうりょ》や神官の口からも伝えられた。

地侍たちは次々と親家の率いる大友軍に加わることを誓った。兵船で府内から国東郷に渡った大友軍は田原親貫のたてこもる安岐城の北雄渡牟礼《おどむれ》城に入った。総大将に任じられた親家は自分の地位が確保されたことに満足だった。宗麟の狙いは当ったのである。

「上さま。よき知らせでございます」

津久見《つくみ》の宗麟の住む寺は俄《にわ》かにあわただしくなった。

家臣たちは宗麟が臼杵《うすき》城か府内の大友館に移ることをしきりに乞うたが、宗麟は頑《かたく》なにそれを拒んだ。義統の後見をすると約束はしたが彼はふたたび世俗的な家形の場所に戻りたくなかった。

「田原親貫の重臣、津崎鎮兼と萱島美濃《みの》とが我らの陣に加わる由にございます」

「宇佐郡の佐田隆居殿も上さまの御指図に従いお味方に馳《は》せ参ずると答えて参りました」

宗麟は義統の無力にくらべ、自分の力がまだ地方国人に及ぶことを感じたが、しかしそれは昔のような悦びを彼に与えなかった。

（早く、この重い勤めを果たし、静かな毎日に戻りたい）

と彼は妻の露には本心を洩《も》らしていた。

だがすべてがうまく運んだわけでもない。かねてから弟を高城《たかじょう》の島津との戦で戦死させて南部衆のうちでも大きな犠牲を払わされた田北紹鉄が親貫に同調して反旗をひるがえしたのである。

宗麟がこうして次々と試練を受けた天正《てんしょう》七年は都で織田《おだ》信長が天下布武の旗じるしの下に悪戦苦闘していた時である。

この天正七年の六月——

島原半島の口之津《くちのつ》の入江に南蛮船があらわれた。防波堤のような岬によって波おだやかなこの入江を甲板から見おろしているイエズス会の神父は日本切支丹《キリシタン》史上、ザビエルと共に忘れることのできぬ伊太利《イタリア》ナポリ出身のアレッサンドロ・ヴァリニャーノ神父だった。

彼はイエズス会に属していたが会の命令によって日本布教の実情を調べるためにマカオから日本に上陸したのである。彼が上陸した地点は現在の口之津町のやや奥まったあたりで、当時海は今よりももっと奥まで入りこんでいたのである。

彼が口之津で行ったことは宣教師たちを召集して実情報告会議を開き、その布教方針を百八十度、変えたことである。

「日本人は全アジアのうちで最も有能で教育がある。彼等を更に磨《みが》けばヨーロッパ人以上に向上するにちがいない」

ヴァリニャーノの考えは先達者のフランシスコ・ザビエルとまったく同じだった。ザビエルもまた日本人を高く評価し、その何人かをヨーロッパに留学させることを実行したほどだった。

ザビエルのこうした布教方針が残念ながら歪《ゆが》められているのをヴァリニャーノはこの会議で知った。

ヴァリニャーノの功績のひとつは彼の新方針に基いて有馬や信長の居城のある安土《あづち》に神学校を建設したことである。その神学校で日本人の子弟はラテン語、ポルトガル語、西洋音楽、西洋絵画そして日本文学を学ぶことが決められた。

天正八年、ちょうど国東半島で田北紹鉄が田原親貫に同調して反乱を起した年、ヴァリニャーノ神父の構想した有馬神学校が開校した。

残念ながら日本人がはじめて西洋の文化を学んだ国際的な学校の跡は現在のどこなのか、曖昧《あいまい》である。

筆者は幾度もここに足を運び、三つの説にわかれている場所をたずねた。しかし、当時と地形も入江も変ってしまった現在の有馬では確実と思える場所はわからない。

場所はわからぬが、その授業日課や生徒や教師の名はある程度、記録されている。最初の入学生は十歳から十二、三歳の少年たち、青い着物がその制服で、仏僧と同じように剃髪《ていはつ》をしていた。

彼等の寮は半畳ごとに小さな机で仕切られ、その小さな空間に寝ることになっていた。

日課は実にきびしく規則正しかった。二月中旬から十月中旬までの夏季と十月中旬から二月中旬までの冬季で違いはあったが大体、次のようなものである。

㈠　午前四時半、起床。起床後、司祭たちと朝の祈り（冬季は五時半起床、以下の日課は一時間ずつずれる）
㈡　五時～六時、ミサ聖祭、祈り
㈢　六時～七時半、学習、幼年者はラテン語単語の暗記
㈣　七時半～九時、ラテン語学習
㈤　九時～十一時、食事、休み時間
㈥　十一時～午後二時、日本語学習、習字
㈦　二時～三時、休憩、ただし音楽の才能のある者は歌、楽器などの練習、他の者は休憩
㈧　三時～四時半、ラテン語学習
㈨　五時～七時、夕食、休息
㈩　七時～八時、ラテン語復習
⑪　九時、一日の反省と祈り

今の日本の受験生に匹敵する猛勉強だが土曜日は午前中だけラテン語の復習を行い、午後は休養だった。日曜日や基督教《キリスト》の祝祭日だけが昼食後、別荘に行って自由に過すことができた。

ラテン語の学習に重点がおかれているのはこれが当時のヨーロッパにおける古典的国際語であると共に基督教の学習をするために欠くべからざる語学だったからだろう。

ついでながら寄宿舎での食事や娯楽についてものべておく。

食事は平日は日本人向きに一汁一菜（魚）だが日曜と祝祭日には一皿まし、果物などのデザートも食べられた。食事中、修道士がラテン語と日本語で何かを朗読し、それを生徒は食事しながら聞いた（西欧修道院の習慣をとり入れたものである）。

娯楽は祝祭日に散歩と、有馬を流れる川や有明海で泳ぐことも許され、おやつと餅《もち》か果物がもらえた。音楽の才能のある生徒にはクラヴサン、ギター、モノコルディオの楽器演奏を習得させた。

有馬神学校第一期生のなかには二年後、ヴァリニャーノ神父が実現した有名な「天正少年使節」の伊東マンショ、中浦ジュリアン、原マルチノ、千々石《ちぢわ》ミゲルのような少年がいた。彼等が入学した頃《ころ》は教科書も熟練した教師も少く、ラテン語学習でよい成績があがらなかった。天正少年使節のラテン語智識《ちしき》が貧弱だったのは言うまでもない。

有馬に神学校を開校するとヴァリニャーノ神父はその年の秋、口之津を出発して臼杵に向った。

彼は口之津の宣教師会議で、布教方針について意見対立をしたカブラル神父から豊後《ぶんご》が九州における切支丹布教地の重大拠点であることを知らされた。

洗礼をうけた宗麟という国主にも謁見《えっけん》を乞《こ》いたかったし、また府内か臼杵に修錬院《ノビシャード》と共に神学校よりやや程度の低い学校《コレジオ》を創立したかった。神学校《セミナリオ》が神父養成の学校ならばコレジオやノビシャードは修道士を作る学校なのである。

カブラル神父たちを同行してヴァリニャーノ神父が到着した臼杵は兵馬に溢《あふ》れていた。ちょうど田北紹鉄の反乱がはじまり宗麟自身もこの非常の事態を苦慮して現在の日出《ひじ》町まで出馬しようとしていた矢先だったからである。

ヴァリニャーノを引見した宗麟は、

（パードレ・フランシスコ・ザビエルに似ている）

瞬間的にそう思った。やや面長《おもなが》なその顔も、幾分痩《や》せたその姿もどこかザビエルを思い出させるものがあった。

ザビエル神父は宗麟にとって生涯、忘れることのできぬ人である。人生のなかにかけ替えのない邂逅《かいこう》があるとするならば、ザビエル神父は眼《め》にみえぬ痕跡《あと》を宗麟の心に残した。

青年の時、壮年の折、彼は自分が何者か自身でもわからず、時には肉欲《にくよく》にふけり、時には冷酷な仕打を行ったがそんな時、遠くからザビエルの哀《かな》しげな眼が彼を見ているような気がした。

それは彼を責めるのではなく、むしろ宗麟の苦しみを共にわかち合おうとするような眼《まな》ざしだった。あの眼ざしは亡《な》き母のそれと重なりあい、彼は現在の妻、露のなかにもそれを見《み》出《いだ》した。その眼ざしと同じものをヴァリニャーノ神父も持っていた。

臼杵で神父は宗麟の洗礼名フランシスコの祝日を記念して盛大なミサを行った後、宗麟の招宴に出席した。

席上、神父は訪日の目的を捗《はかど》らぬ日本布教の現状を視察するためであると説明をした。そしてイエズス会の本部から彼はその役を命じられたのだと語った。

「国主さまは洗礼を受けられ、厚き信仰の持主と聞いております。されば国主さまのお考えをうかがえれば倖《さいわ》いに存じます」

とヴァリニャーノは鄭重《ていちょう》にたずねた。その品のある、そして謙虚な態度は宗麟の心をうった。

「余の考えと申されると」

「日本人たちには切支丹を好まぬ方々が多いのは何故《なぜ》でございましょう。国主さまの御領内でもそのような方々が数多くおられるとか」

「それはその者たちが長年、親しんで参った宗旨を大事と思えばであろう。日本にも切支丹のパードレたちの参られる前、天竺《てんじく》や唐から参った仏教と申す宗門があり……」、
はじめは宗麟は儀礼的にわかりきった理由をヴァリニャーノに語った。うなずきながらそれに耳傾けていた神父は、

「仰《おお》せの通りと存じます。しかしもうひとつ、別の理由はございませぬか」

と突然、質問して宗麟を驚かせた。

「われら布教を致します宣教師たちの考え方に欠点ありとはお考えになりませぬか」

「いや」

と宗麟は首をふった。

「パードレたちはいずれも有徳の方々と思うてござる」

「国主さま。私が日本に参ったのは布教の捗らぬ理由を率直に知るためでございます。それゆえ、国主さまの御考えを正直にお教え頂けませぬか。私は日本に参り、在住の宣教師たちがあまりに日本語に上達しておらぬのに驚きました。たとえば、この豊後を宣教しておりましたカブラル神父さえ通訳なしには日本語を話すことができませぬ」

宗麟はヴァリニャーノ神父が正確に物事を見ぬく人だと改めて思わざるをえない。たしかに彼の知っている宣教師たちの日本語は貧しかった。

「その上」

とヴァリニャーノ神父は表情は穏やかだったが鋭い指摘をした。

「宣教師たちは故国で子弟たちを教育するように日本人の若者たちを教えてはおりませぬ。まるでわれらの学問、われらの智識を与えるのを惜しむかのように見えます。国主さまの御意見をうかがいたいのはそのためでございます」

宗麟は答えに窮した。彼はカブラル神父たちを庇《かば》う言葉を探したが、ヴァリニャーノの真《しん》

摯《し》な表情をみると、

「心外なれど、たしかに仰せの通りでござる。パードレたちが日本語に通じ、更に日本の作法に合うように日々を過せば多くの日本人もその宗旨の違いにかかわらず、パードレたちを嘲《あざけ》り、責めることも少かったであろう」

と答えた。

臼杵には早速、小さいながらも修錬院《ノビシャード》が作られた。この学校でヨーロッパから来た宣教師や修道士は日本語を学び、日本人はキリスト教を学ぶのである。

このノビシャードには一五八〇年（ヴァリニャーノが臼杵を訪れた年である）には六人のポルトガル人と同数の日本人が入学したと記録されている。

府内にはノビシャードよりもやや高級な学校《コレジオ》も設立され、日本人はここでラテン語を学び、ヨーロッパ人修道士は日本語を学んだ。ヴァリニャーノ神父はともすればヨーロッパ中心主義のカブラル神父がこうした教育に消極的だったのにたいし、日本語を話せる神父や修道士の育成を実行したのである。

天正《てんしょう》少年使節

天正八年（一五八〇年）どうにか国東《くにさき》半島での田原本家を中心とする謀反《むほん》が鎮圧された。大友家が辛《かろ》うじて安泰を得たのは、やはり隠退した宗麟《そうりん》が再出馬したお蔭《かげ》である。

日向《ひゅうが》での敗戦以来、影の薄かった宗麟の存在がふたたび重くなった。

そのためあれほど白眼視されていた切支丹《キリシタン》の宣教師や信徒への迫害や嫌《いや》がらせも少しずつだが弱くなったようである。

臼杵《うすき》でもヴァリニャーノの計画によって修錬院《ノビシャード》がこの年の十一月に臼杵城内に作られた。ここはイエズス会の修道士を作る施設でこの年の請願者《ノビシャ》は六人の日本人、六人のポルトガル人だったと言われる。

院長のペトロ・ラモンと共にヴァリニャーノ神父も教授の一人となり、府内に作った学校《コレジオ》と併せて、日本人の修道士養成に本腰を入れることになった。

豊後で切支丹が最も盛んになったのはおそらく天正八年から九年にかけてであろう。宗麟の奨《すす》めもあってか、彼の三男の親盛と娘婿《むすめむこ》の清田鎮忠《しげただ》、志賀親次《ちかつぐ》などが次々と洗礼を受けたのもこの時期である。

修錬院の院長、ペトロ・ラモンをはじめ、他の宣教師たちも府内や臼杵の町を昔ほど怯《おび》えながら歩かないでもすむようになった。

天正八年の師走《しわす》、府内の町でもそろそろ正月の準備がはじまった。煤《すす》払いのため、箒草《ほうきぐさ》が辻《つじ》で売られ、井戸さらえもあちこちで行われる。海岸の漁師の家では炊事道具から肥桶《こえたご》まで海に持ち出して、藁《わら》に砂をつけて洗っている。

ラモン神父は久しぶりで安らかな気持を感じながら町を歩いていた。魚や野菜を売る露店の市が辻にできて、人々で賑《にぎ》わっている。

ついこの間までは、こんな辻を歩くと、

「戻れ、ここに参るな」

と誰かの罵言《ばげん》が飛んだものだが、今は人々は神父を見ても眼を伏せて横を通りすぎるだけである。なかには、

「パードレ、同じ心にござります」

と丁寧に頭をさげる百姓もいるが、それを咎《とが》める者はない。

神父が教会《エクレシア》への路《みち》を歩いていると、突然怒鳴り声がきこえた。

怒鳴られたのは彼ではなくて、物乞いをした少年だった。

素足に襤衣《ぼろ》をまとい、笊《ざる》を手にしたこの子供は老婆《ろうば》に罵《ののし》られながら、家かげから逃げてき

た。

ラモン神父が立ちどまると、追いかけてきた老婆は当惑した顔をして家に入った。

怯えた眼で少年はラモン神父を見ている。

瘦《や》せて、顔色が良くない。飢えているようだ。

「ひもじいですか」

と後に日本語の達人となったが、この頃はまだ会話に熟達していないラモン神父は身ぶりをまじえながらたずねた。

尻《しり》ごみをする少年の手をとって彼は食物を与えることを約束した。

「名は」

ときくと、これだけは、

「虎千代麿」

とはっきりと、しかも誇らしげに少年は答えた。

少年が農民ではなく侍の家の出身であることはラモン神父にもこの名でわかった。しかし瘦せて「シャツのようなもの一枚をまとった」（ラモン神父の証言による）少年は彼の憐《あわ》れみを誘った。

「おいで」

と神父は少年を安心させるために微笑をしながら誘った。

府内の教会につくと、彼は折からこの教会に滞在していたヴァリニャーノ神父にばったり門前で出会った。

大きな縁のひろい帽子をかむったヴァリニャーノはふしぎそうに少年の手を取ったラモン神父を見つめた。ラモン神父は笑いながら、

「この子は腹をすかせております、何か食べさせてやろうと思いまして連れてきました」

二人の神父は少年を食堂に入れて、台所に残っていた野菜のスープを木鉢《きばち》に入れて与えた。飢えていたのだろうが少年は鉢を両手にいただき、眼の上に捧《ささ》げてから、品よく飲みはじめた。

「この子は……」

とヴァリニャーノ神父は言った。

「今こそ貧しいが、育ちはよい子供らしい」

「日本人の同宿をよんで身元をたずねてみましょう」

同宿とは宣教師たちの下で彼等の布教を手伝う日本人のことを言う。

同宿のポーロ弥助《やすけ》があらわれた。少年とポーロ弥助との会話を二人の神父はふしぎな表情で聞いていた。

「この子供は日向の領主の親類と申しております」

「それほど身分の高い家の子供がなぜ物乞いなどせねばならないのか」

同宿の説明だけではヴァリニャーノ神父には信じられなかったし腑《ふ》に落ちなかった。

彼がつかめたのは僅《わず》かにこの豊後《ぶんご》に国境を接している日向の国が薩摩《さつま》の島津氏に亡《ほろ》ぼされた時、宗麟を頼って逃亡した伊東氏一族の子供だということだった。

虎千代麿の父は殺され、母は子供たちを連れて豊後に逃れ、再婚をしたが、虎千代麿たちは孤児同然になり、食を乞うて町を歩かねばならなかった。

ヴァリニャーノ神父やラモン神父がわかったのは以上の程度である。彼等がそれ以上、この少年の身元をたしかめなかったのは、当時、戦にあけくれる九州の各地には虎千代麿のような戦災孤児は至るところにいたからである。

数日、この少年の性格や智能《ちのう》を見てから、ヴァリニャーノ神父はラモン神父に相談した。

「あの少年が我々に拾われ助けられたのは、神が彼に教育を与えよというお考えがあるような気がする。あの子を我々の創《つく》った有馬の神学校に送るのはどうであろう」

ラモン神父にもちろん異存はなかった。

少年は他の男と結婚した母に相談したが、母はこれを願ってもない口べらしと考えた。

少年――伊東虎千代麿はこうして府内から島原半島の有馬に送られた。

有馬は海に面し、背後に雲仙《うんぜん》の火山を見る風光明媚《めいび》な地域である。有馬氏の居城は日之枝《ひのえ》城といい、その城の真下にある漁村や農家の集落のなかに神学校は建てられた（処在場所についてはニつの説があって、まだ確定しない。そしてそのいずれにも学校を思い起こさせる遺跡はない）。

日之枝城の城主、有馬晴信は宣教師を保護しヴァリニャーノに学校の設立を許して、その校舎として廃寺のひとつを与えた。

先にも書いたようにきびしい日課のなかでこの学校の生徒はラテン語、ポルトガル語をはじめ西洋の絵画や音楽をも勉強した。

伊東虎千代麿もここに到着すると、制服である青い着物を着せられて、生徒の一人に加えられた。やがて彼は洗礼を受け、マンショという洗礼名をもらった。

以後、彼はすべての人から伊東マンショと呼ばれるようになる。我々が有名な「天正少年使節」について語る時、その少年使節の一人だった彼のことを伊東マンショとだけ言うのはその元服後の日本名が未《いま》だにわからぬからである。

大友宗麟はもちろん、伊東マンショを見たことはない。マンショが府内の教会で拾われ、有馬の神学校に送られ、やがて宗麟の名のもとで使節になったことにもまったく無知であった。

有馬の神学校での生活はきびしく、規則正しかった。

朝、小禽《しょうきん》たちが学寮の周りで目ざめ騒ぎだす午前四時半、生徒たちは校長モーラ神父の声で起された。

スペインのカラバカに生れたこの陽気な神父は鐘をならしながら大声で叫んだ。

「朝じゃ、朝じゃ」

虎千代麿も他の生徒もここでは洗礼名でよばれた。

目覚めのよくない彼が急いで洗面をすませ、厠《かわや》にかけこみ、寺の本堂を改造した聖堂に行くと、そこには彼と同じように不機嫌《ふきげん》な顔をした生徒たちが次々と集ってきた。

彼の右隣は大村の波佐見《はさみ》で生れた原マルチノで左には年下の千々石《ちぢわ》ミゲルが跪《ひざまず》いていた。

ミサの間、祈るふりをして眠っている連中のいることも、マンショにはやがてわかった。要領のいいのは北ポーロという生徒で、仲間たちから「眠りの名人」と呼ばれていた。

ミサがすむと生徒たちにとって一番、難儀なラテン語の勉強がある。

この授業は三時間、わずかな休憩時間があるだけでぶっつづけに続いた。八時半になると生徒たちのお腹が奇妙な音をたてて鳴るのだった。そして皆は忍び笑いをした。

どの生徒もラテン語は苦手だった。当時、まともな辞書も動詞の活用表もできていなかったし、教える側の宣教師の日本語がつたなかったから、比較的、勤勉な伊東マンショでさえ、何を教えられているのか、途惑うことがしばしばあった。

教師である宣教師ダミアン・マリーム神父はそのたび毎《ごと》に溜息《ためいき》をついたり、肩をすぼめたりして途方に暮れていた。

九時から待望の朝食、一汁一菜の食事だがこの食事の時がマンショには最も幸福な時間だった。おそらく他の生徒たちも同じだったろう。彼等の大半は戦争や貧しさのために腹いっぱい食べた経験が乏しかったからだ。しかし寮では彼等がかつてのひもじさを味わうことはなかった。のみならず食後、一時間以上はゆっくり休めるのだ。

十一時になると少年たちにはラテン語よりはずっと容易な習字や日本文字の勉強がはじまる。

マンショは筆を動かしながら、むしろ二時から始まる音楽の勉強を楽しみにした。彼と音楽を共に習っているのは秀才で烈《はげ》しい性格の中浦ジュリアン、少し怠け者だが純情そのものの千々石ミゲル、それに頑張《がんば》り屋の原マルチノたちだった。

はじめてモーラ神父がオルガンとよばれる楽器を両手で演奏してくれた時、少年たちの大半は呆然《ぼうぜん》として声も出なかった。

今まで彼等が耳にした音曲といえば神社の神楽《かぐら》で演じられる笛や太鼓だった。そんな音曲とはまったく次元を異にしたオルガンの響きに彼等は圧倒された。

伊東マンショと中浦ジュリアンとはあとで話しあった。

「まるで早き川の流れに心持よく身を任せて山をくだる心地がした」

とジュリアンはそう言ったがマンショも同感だった。

おずおずとオルガンの前に坐《すわ》った最初の日。

音符をおぼえるのは大嫌《だいきら》いなラテン語よりももっと容易である。

「汝《なんじ》は好むか」

とまだ日本語の下手なモーラ神父が一人一人にたずねる。

「汝は好むか」

「好みまする」

マンショもジュリアンも力強く、心の底から答えたし、事実、二人の習得は誰よりも早かった。

教師たちは授業のほかに基督教《キリスト》の教理を教えた。担当はアントニオ・アルヴァレス修道士である。

五時の夕食までまたラテン語。この怪物の尾っぽはたえず変化するので、それを必死になってマンショは押えようと格闘する。

音楽の好きなマンショやジュリアンたちは夕食のあとギターの稽古《けいこ》をそれぞれやってみた。

日曜には食事の皿が一枚ふえる。果物まで出される。食事の間、アルヴァレス修道士が主イエスの生涯《しょうがい》の一部分をたどたどしい日本語で読みあげる。

同じ一期生のなかで、伊東マンショは中浦ジュリアンや千々石ミゲルと仲よかった。特に千々石ミゲルとは寄宿舎で隣りあわせに寝る毎日だったから、この少し怠け者だが純情な友人にマンショは親しみを感じ、何でもうち明けた。
「そうか、それでは豊後でパードレさまと出会わなかったならば、マンショはここに参れなかったのか」
と千々石ミゲルは気の毒そうにマンショの身の上話を聞いた。彼は千々石村の出身だがこの地方を支配している有馬晴信の従兄《いとこ》の息子だった。彼はマンショのように戦争に明けくれる当時、一度、敗北を喫すれば流浪《るろう》せねばならぬ侍の家族の運命はよく承知していた。マンショは中浦ジュリアンから泳ぎを習った。教会の祝祭日には有馬を流れる川と有明海で泳ぐことが許されたからである。

運動神経の強いジュリアンはまた音楽の才能もあった。オルガンのほかに彼はギターを爪《つま》びくことをすぐ憶《おぼ》えた。

伊東マンショが有馬の神学校で学びはじめた時、彼を送ったヴァリニャーノ神父は国東半島の日出《ひじ》から宗麟の所有する大船で堺《さかい》に向った。

日本の都に上り、畿内《きない》の権力者である織田《おだ》信長への謁見《えつけん》を求めるためである。

ヴァリニャーノたち南蛮人の乗った船は瀬戸内海の海賊たちに狙《ねら》われていたから航海は必ずしも安全といえなかった。さいわい瀬戸内海では大事には至らず、彼等は堺についたが、この堺の港で船は海賊船にとり囲まれた。堺の豪商で切支丹《キリシタン》である日比屋了珪《りょうけい》たちの救出でヴァリニャーノ一行はやっと堺に上陸し、都に向った。

畿内の切支丹武将、高山右近《うこん》たちを中心とする日本人が神父を歓迎した。入京するとすぐ信長への謁見を願い出た。

この謁見前後で有名な話はヴァリニャーノが供として連れてきた黒人（おそらく印度人）が都の評判となり、神父たちの宿泊先である都の姥柳《うばやなぎ》町の教会に群集が殺到したことである。信長もこれを耳にして彼の泊っている本能寺にその黒人を連れてくるように命じた。

都の教区長のオルガンチーノが黒人を伴って本能寺に赴くと、信長はしげしげとその顔や手を見つめ、

「墨を塗ったのではないか」

と言い、上半身を洗ってみせよと命じた。

上半身、裸にさせられた黒人は男たちの手で入念に洗われたが「洗えば洗うほど、一層黒くなった」。

信長は多少日本語も解した彼と話をまじえ、息子たちを妙覚寺から招いて見物させている。

「二月二十三日、切支丹国より、黒坊主《ばうず》参り候。年之齢《のよはひ》廿六、七と見えたり、惣之身《そうのみ》の黒き事牛之如《ごとし》」と「信長公記《しんちょうこうき》」に書いてあるのはこの黒人のことである。

ヴァリニャーノは五ヶ月も都や信長の居城のある安土《あづち》に滞在した。

安土にはヴァリニャーノの計画した神学校が建てられた。伊東マンショたちの勉強している有馬のそれと同じものである。

ここでも二十五人の日本人生徒が入学したが、その建設にあたっては切支丹武将、高山右近の協力が多大だった。

信長はヴァリニャーノ神父の明晰《めいせき》な頭脳や礼儀正しさを愛したらしい。彼は進んで教会に経済的援助を与えようと約束し、鷹狩《たかが》りの帰りに突然、神学校にたち寄り、生徒二人が演奏する西洋楽器の演奏を聞いたりしている。

八月、安土での盆祭りを見物したヴァリニャーノは信長に謝意と別れとを告げて堺から船にのり、豊後に戻った。

宗麟はこの頃《ころ》、臼杵《うすき》に日本のうちで最も美しい教会を建設していた。

老いの上に元来、頑健とは言えぬ宗麟はこの頃、しばしば病にかかったが、信仰はますます強くなっていた。

相変らず臼杵から三里離れた津久見《つくみ》に宗麟は住んでいた。彼と妻とはこの丘に囲まれた狭隘《きょうあい》な場所が気に入っていた。

短い春のように豊後には小康状態が続いていた。宗麟はかつての所領の多くを蚕食されたが、しかし豊後、豊前《ぶぜん》での反乱を抑えたことで国人たちの信望を恢復《かいふく》していた。その信望が領内での切支丹の数を少しずつ増やしもした。

フロイスの報告（天正《てんしよう》十三年）では「布教は府内とその周辺、及び臼杵では目ざましい発展をとげた」という。

府内のコレジオでは生徒たち百五十六人が、府内に近い町々でも二千人以上の日本人が受洗したようにフロイスはのべている。

これが誇張であるか、否《いな》かは判断できかねるが、かつてにくらべて人々も切支丹にたいして寛大になり、進んでその教えに耳を傾ける者もできたのであろう。

ヴァリニャーノは豊後に戻ると、すぐに津久見の宗麟に挨拶《あいさつ》にでかけた。彼の好意がなければ船によって堺まで赴くことはできなかったからである。

宗麟はヴァリニャーノから畿内でのさまざまな状勢や織田信長のことをきいた。もちろん信長が足利《あしかが》将軍を追い都と畿内での最高の実力者となったことや、しかも切支丹宣教師の保護者であることは知ってはいたが、安土城の壮大さや安土にも基督教の学校ができたことはヴァリニャーノの口を通して初めて承知することができた。

（向後、信長にたいして鄭重《ていちよう》であるにしくはない）

老いたにかかわらず彼は昔、将軍や公卿《くぎよう》に贈物をたびたび行うことで地位と勢力を拡大したように、新しい都の支配者にたいしても敏感だった。

「パードレ」

と宗麟は言った。

「余はパードレと話を致すと、ふしぎにフランシスコ・ザビエル殿を思いうかべる。パードレとザビエル殿とには何か似通ったところがある」

「私は」

とヴァリニャーノ神父は通訳を通して答えた。

「あの有徳のお方の足もとに跪くのみでございます。私はザビエル師がなされたことを学び、ザビエル師が考えておられたことを日本で具顕したく思っております。ザビエル師は日本人を高く認め、学校を作ろうとさえ考えておられました。私が有馬や安土、そしてこの府内に学校を建てたのも、すべてザビエル師のお考えに基いております」

宗麟は満足げにうなずいて、

「この国の者を高く認めてくれたのは忝《かたじけな》いことである」

とヴァリニャーノの謙虚な言葉に感じ入ったようだった。彼はこの神父の姿から、かつて彼の人生を横切ったあの痩《や》せた孤独なザビエルを思いだしていた。

(ザビエル殿が生きておられれば、余が切支丹になった事を如何《いか》ように思われるであろう)

この時の宗麟との会話がやがてヴァリニャーノ神父にそれまで思いもしなかった新しい壮大な計画をたてさせるようになる。

「国主さまにお願いがございます。臼杵の新しい教会《エクレシア》を祝って盛大な儀式と行列とを行いたく存じますが」

神父の言葉に宗麟はうなずいた。

「豊後には切支丹の数もふえました。国主さまの御三男、親盛さまや志賀親次さまのような御身分高き若殿たちまでが洗礼をお受けになられたことは悦《よろこ》ばしい限りでございます。さればそれらの方々はもとより豊後にて既に一万をこえる切支丹の門徒たちのためにもこの行事、お許しを頂きたく存じます」

「一万をこしたか」

宗麟は感慨無量だった。かつて家形《やかた》である彼がいくら主張しても同紋衆も重臣たちも反対しつづけた切支丹の教えがここまで領内に浸透したのだ。

「余は幾つかの領地を失うた」

と宗麟は苦笑した。

「そのかわり、主はそれに代るものを余に与え給《たも》うた」

しかし彼はしばらく考えこんで、

「パードレ。余は既に老いた。余命はあと如何ほどやも知れぬ。余が亡《な》きあと、嫡男《ちやくなん》、義統《よしむね》が切支丹をどのように扱うかもパードレたちは考えねばならぬ。教会《エクレシア》を建てるも大事、盛んな儀式や行列も宜《よろ》しかろう、されど、もっと大切なことがある」

ヴァリニャーノ神父は宗麟の炯眼《けいがん》に感心した。老いてもやはりこの国主は智慧《ちえ》があった。

「大切なこととは何でございますか」

「それは切支丹の教えと日本人の心とが溶けあうことと余は思う。パードレもいつぞや申された通り、ともすると日本人のあり様を教会《エクレシア》は軽んじておられるように思われる。パードレたちが日本人の儀礼、作法、習わしを大事になされば、無益《むやく》な恨みや怒りをまねくことも少くなる。それよりも余は切支丹の教えが日本人の心の底の底にしみこむためには、教えがこの日本に隙《すき》なく溶けこむことと考えている」

「仰《おお》せの通りでございます」

ヴァリニャーノ神父は我意《わが》をえたように大きくうなずいた。それは彼の考えそのものだったからである。

日本に上陸して以来、ヴァリニャーノは在日の神父たちが日本人を高みから見くだし、日本人の風習や生活に馴染《なじ》もうとしないのを見た。ヴァリニャーノはこれが日本布教の大きな妨げになっていると即座に思った。

「国主さまのそのお忠言、必ずや実行いたします」

と神父は何度も強調した。

その夜、ヴァリニャーノ神父は臼杵の教会の一室で朝がたまで机にむかった。

鵞《が》ペンが音をたてて最初の一行をしるした。

「日本風習に関する注意と警告書」

それは宗麟の忠告に応じて外人聖職者たちが日本人の心を尊重することを命じた一書だった。

季節風の関係でマカオからの帆船が日本を訪れ、日本を出発できるのは年の内でも限られた期間である。

ヴァリニャーノは自分に残された滞日期間になさねばならぬ事を片附けるため、豊後を発《た》った。

彼の目的は九州における宗麟以外の有力領主に布教の許しを得ることだった。

まず薩摩《さつま》の島津義久《よしひさ》、次に佐賀の竜造寺隆信《りゅうぞうじたかのぶ》、いずれも宗麟の宿敵である。ヴァリニャーノはそれぞれに使者を出し、交渉させた後、十一月に長崎に向い、翌十二月、大村や有馬にたち寄った。

有馬の日之枝《ひのえ》城近くに建てられた学校の成果は彼を悦ばせた。期待以上に生徒たちが勉学に成果をあげていたからである。

もちろんラテン語は少年たちに困難なようだった。しかしビオラやオルガンを好み、教師である宣教師たちの指導に従順に従っている生徒たちを見ると、彼はザビエル神父が言った次の言葉を思いだした。

「日本人は私の見た東洋の民族のなかで、最も優れた人たちである」

ヴァリニャーノ神父を歓迎するため、生徒たちは聖堂で聖歌を歌ってくれた。

「あの少年は」

とヴァリニャーノはそのなかでも賢そうな一人を見て言った。

「たしか、府内から送った伊東マンショではありませぬか」

「その通りです」

と校長のモーラ神父はうなずいた。

一年前は府内の町を襤衣《ぼろ》をまとって物乞《ものご》いをしていたマンショが眼《め》を光らせて聖歌を歌っている。

「少年たちの成績表を見せてくれませぬか」

と彼はモーラ神父に頼み、それぞれの少年の成果を書きこんだ書類を持ってこさせた。

「何をお考えですか」

と校長がたずねると、いつもは静かなヴァリニャーノ神父がいささか興奮した声で答えた。

「かつてフランシスコ・ザビエル師は府内の港から日本人の留学生をゴアに送ることを考えました。その一人はゴアからマドリッドに渡り、ローマで学んでおります」

モーラ校長はヴァリニャーノ神父の考えに突然気づいて驚愕《きょうがく》のあまり、

「まさか」

と叫んだ。しかしヴァリニャーノは首をふった。

「いえ。まさかではない。私はザビエル師の御計画の跡を最後までたどりたいのです。この学校から何人かの少年を選び、我々の国を見せます。可能ならば我らの法王さまへの謁見を求めることはできないでしょうか。それによって法王さまは極東の日本という国において、いかに神の栄光が稔《みの》りつつあるかを知られましょうし、少年たちは我らの基督教国を実際にその眼で見ることができます。そして彼等が見聞したことを日本人たちに語り伝えるでしょう」

抑制力の強い彼にしては滅多にないことだがヴァリニャーノ神父の顔は上気して興奮していた。

モーラ校長はこの突然の、しかも夢のような計画に尻《しり》ごみをしたが、次第に「もし、それが実現できたら」というヴァリニャーノ神父の説得に負けていった。

「しかし、生徒のうち誰を選ぶのです」

「万一、ローマ法王への謁見を許されるとしたならば、それは外交的使節の外観をとらねばなりません」

と神父は鵞ペンで紙に何本かの線をひいた。それは彼が何かを考える時の癖だった。

「ひとつには少年たちは使節にふさわしい血すじの者でなければならないのです。そして彼等はそれぞれの領主の信書をたずさえる必要があります。我々の力で改宗した九州の領主の名をあげてください」

「それは大村純忠《すみただ》さまと有馬晴信さま、それに」

「それにフランシスコ大友（宗麟）。マカオに戻る私の船はいつ長崎をでます」

「来年の一月か二月下旬の予定です」

「私にはふたたび豊後に戻る余裕がない」

ヴァリニャーノ神父はしばらく沈黙した後、

「大村さま、有馬さまの信書は頂けるとしてもフランシスコ大友さまのそれを頂戴《ちょうだい》するには時間がありません」

「それでは三人の領主ではなく、二人の信書だけでなさったら」

モーラ校長はそう進言したが、ヴァリニャーノ神父はその意見を退け、

「いいえ、私はあの伊東マンショを是非とも使節の一人に加えたい。彼には他の少年以上に理解力があるように思えます」

「しかし、彼はたとえば千々石ミゲルのような家柄《いえがら》を誇るものがありません。御存知のように彼は府内で物乞いをしていた少年でした」

ヴァリニャーノ神父はモーラ校長を見て、黙って首を二、三度ふった。

その否定の意味がモーラ校長にはよくわからなかった。

「とに角、伊東マンショのほか三人の少年を選んでください」

「選ぶことは選びますが……彼等には家族もおります。この大旅行に家族はおそらく反対をするでしょう」

モーラ校長はヴァリニャーノ神父ほどこの計画に熱中しなかった。彼もまた少年たちにヨーロッパまでの危険で辛《つら》い船旅をさせたくはなかった。それに少年たちがまだラテン語も不充分なため、どれほど使節として役にたつか、わからなかったからである。

にもかかわらず、ヴァリニャーノ神父の決意は不退転だった。

神父は伊東マンショと千々石ミゲルと中浦ジュリアン、原マルチノを自室によび、この計画を話した。

モーラ校長はその場面に立ちあったが、平生は表情の変化に乏しいこの少年たちがあまりの衝撃に口をあけたり、手を握りしめるのをはじめて見た。

伊東マンショを除いて彼等はこの島原半島のほかはほとんど知らなかったからである。

（ローマと申す都に参る）

ローマが何処《どこ》にあるのか、そこに到達するまでどんな海を渡るのかを少年たちはまったく知らない。想像もできない。

茫然《ぼうぜん》として部屋を出ていった少年たちはこのヴァリニャーノ神父の言葉を家族にうち明けて親兄姉《きょうだい》から猛烈な反対を受けた。

「どうしても行かねばなりませぬ」

千々石ミゲルは泣きはじめた母に強情に言いはった。

モーラ校長には匿《かく》してヴァリニャーノ神父は伊東マンショをあたかも大友宗麟の甥《おい》であるかのように偽装し、更に宗麟のローマ法王宛《あて》の信書を断りなしに作ることにした。少年たちはもちろん、この工作を知らない。宗麟もまたヴァリニャーノ神父から何ひとつ告げられていなかった。

モーラ校長は後にこの事実を知り、ヴァリニャーノ神父の独断行為を批判する書翰《しょかん》をローマの本部に送った。

最後の闘い

一五八二年（天正十年《てんしょう》）の二月二十日。

長崎大波戸の桟橋《さんばし》あたりには群集が押しあいながら南蛮人宣教師たちと七人の日本人とが三隻《せき》の小舟に乗る光景を見ていた。

七人の日本人のうち四人は真新しい衣服を着て刀をさした少年たちで、あとの三人は修道士と召使いだった。

小舟は波にゆられ、三隻の小舟から南蛮人の神父や修道士は笑顔で手をふったが、日本人の少年たちは緊張のあまり、まるで怒ったような顔でこちらを向いていた。口の周りを髭《ひげ》で覆《おお》った神父はヴァリニャーノで、彼は四人の少年と同じ舟に乗り、時々、励ますように何か語りかけているのが陸から見えた。

長崎湾の沖には大きな帆をかけた南蛮船が停泊していた。小舟はその南蛮船に向って波にゆられながら遠ざかっていく。

しかし大波戸の群集はいつまでも見送りに残っていた。泪《なみだ》をしきりに袖《そで》でふいているのは千々石《ちぢわ》ミゲルの母親である。

彼女は愛する子が見もしらぬ遠い国に行くと聞かされ、ただ仰天し、歎《なげ》き悲しみ、ヴァリニャーノに説得されて、仕方なく承知したが、今となっては後悔をしていた。

これが有名な少年使節たちの出発の光景である。群集が立ち去ったのは夕暮の影が長崎の山々や大浦を包みはじめてからである。

南支那《しな》海に出た少年使節の船はつつがなくマカオに向ったが、このマカオでの一時滞在中、日本ではヴァリニャーノを安土《あづち》で優遇してくれた織田《おだ》信長が本能寺で自決するという大事件が起った。そしてそれに続く信長家臣の争いで羽柴秀吉《はしばひでよし》という宣教師たちも注意しなかった男が力を獲つつあった。

そんな畿内《きない》での激闘とまったく無関係のように小さな有馬の城下町は静かで、神学校は別天地だった。

一五八二年の年報にコエリヨ神父は書いている。

「有馬神学校の生徒たちは聖職者のように礼儀正しく、控え目で純潔であり、長上に迷惑をかけることなく、その指図に従っている。彼等は文学のほか声楽や器楽を学び……休養のため外出する彼らのつつしみ深い態度を見るため、人々は戸口に走る」

二年の歳月が流れた。その二年目の一五八四年（天正十二年）の三月、静かで平和だった有馬に突然、異変が起った。隣国の竜造寺隆信が二万五千の大軍を率いて島原半島北端の神《こう》代湊《じろみなと》に上陸したからである。

有馬日之枝城の城主、有馬晴信は手兵のすべてを動員すると共に、薩摩の島津義久に救援を求めた。

それまで晴信は大友方に属して竜造寺氏に対抗してきたが「大友義統《よしむね》、頼りなし」と考えて、精悍《せいかん》な薩摩軍と連合したのである。

日之枝城内には男では「病気か、体の不自由な老人、四、五名が残るのみ」（フロイス「日本史」）というから、晴信は全兵力をつれてこの一戦に出陣したのであろう。彼の命令で、宣教師たちも終夜、城を警戒し、城中の婦人や神学校の生徒たちを保護しなければならなかった。そして万一の場合は聖堂の鐘を鳴らすことになっている。

晴信は現在の島原市郊外に陣をしいた。彼の作戦はこの海近くの沼と細路のなかに竜造寺軍を引きこむことだった。それ以外に彼には策がなかったのである。

島原半島は竜造寺軍二万五千によって埋めつくされた。

戦は朝八時に始まった。

救援に駆けつけた島津軍と晴信との連合軍は退却とみせかけて巧みに敵軍を沼沢地帯におびき寄せた。二万五千の竜造寺軍は有馬軍の銃撃と狭路《きょうろ》とに自由に動くことができず、罠《わな》にかかったと気づいた時はもう遅かった。

竜造寺隆信は巨体のため馬に乗ることができずに逃げ遅れ、島津軍の一兵の手にかかって殺されている。

戦が終結したのは午後二時。有馬、島津連合軍の完全な勝利だった。この頃《ころ》、天正少年使節たちはヴァリニャーノ神父をコーチンに残してアフリカ東岸を南下していた。

「竜造寺隆信が討死致しました」

という報が臼杵《うすき》と府内に届いた時、同紋衆たちの緊急評議がただちに開かれた。

「隆信の討死を手放しにて悦《よろこ》ぶわけには参らぬ」

と老臣、立花道雪が大声を出した。

「たしかに佐賀の悪人（隆信）は消え申した。されどその隆信の代りに島津の悪人どもが肥後の国人たちを誘《いざの》うてござろう」

同席していた高橋紹運たちも道雪の心配に同感だった。

決断力の鈍い大友義統は、

「津久見《つくみ》さま（宗麟《そうりん》）に御相談致さねば」

などと言ったが立花道雪のきびしい警告に同紋衆は肥後鎮圧の派遣軍を出す事に一致した。

道雪の見通しは誤っていなかった。

竜造寺隆信の圧迫を脱した有馬氏はもちろんの事、肥後や筑後《ちくご》の土豪、国人たちは既に力を失っている大友氏を見棄《みす》てて、急激に勢力をのばしてきた島津氏に従いはじめたからである。

大友派遣軍とこれらの離反国人との間に戦いがはじまった。国人や小土豪相手の戦いでは兵数においてはるかに勝る大友派遣軍がさすがに強い。国人たちの山砦《さんさい》は次々と陥落し、西筑後はふたたび大友氏の勢力圏に入った。

大友派遣軍の指揮者は同紋衆の談合の折、強硬発言の口火を切った立花道雪である。立花道雪は筑前の立花城主で同紋衆や加判衆の有力者が次々と世を去ったあとも大友家の支柱の一人となっている忠臣である。

既に七十をこしたが、まだ戦場に参ずるほど元気だった。

余談だが彼には嫡男《ちゃくなん》がいない、したがって一人娘に養子を迎えようとして眼《め》をつけた青年が宝満城城主の高橋紹運の十五歳の嫡男、統虎《むねとら》だった。

自分をたずねてきた統虎を道雪は奇妙な方法でテストしている。彼の眼前で突然、罪人の処刑をさせたのである。

処刑の直後、道雪は、

「御無礼仕《つかまつ》るぞ」

と叫ぶなり若い統虎の胸に手を入れた。そして何の動悸《どうき》も感じなかったので、

「気に入ったぞ」

と満足な顔をした。

こうして立花家の養子になった統虎は義父の道雪が派遣軍に加わって留守にした立花城をあずかった。

立花城が手薄になったのを知って、大友家にたえず反旗をひるがえしていた秋月種実《たねざね》が八千の兵を率いて城を囲んだ。秋月種実は筑前古処山城の城主、毛利氏をバックにして宗麟に謀反《むほん》を企てたことは既に書いた通りである。

立花城には五百の留守部隊しか残っていない。だが統虎は重臣の籠城《ろうじょう》策を一蹴《いっしゅう》して夜襲にうって出た。秋月軍は大敗して総退却の状態になった。

しかし立花城が囲まれたという報は最前線にいる立花道雪に打撃を与えたらしい。

それまで気力の充実していた彼が高良山《こうらさん》の陣中で床に伏すようになった。病名はわからない。おそらく癌《がん》だったのだろう。

「わが遺体に甲冑《かっちゅう》を着せ、頭《とうべ》を柳河にむけて埋めよ」

それが道雪の息を引きとる折の遺言だったという。

立花道雪は大友派遣軍にとって一つの精神的象徴だったから、彼を失った途端、軍団の士気は急激に衰えた。太陽の光を失ったようなものだった。

島津義久《よしひさ》はそれを見逃さず、筑前筑後の土豪たちに内応を奨《すす》めた。入田《にゅうた》宗和、志賀道雲、志賀道益、戸次《べっき》玄三たち大友家従属の家臣たちがひそかにこれに応じた。同紋衆や重臣は、内応の報はもちろん、早馬によって府内の大友館に知らされた。

「お家形《やかた》さま（義統）にては防ぐことかなわじ。津久見にお知らせすべし」

と今度はさすがに宗麟の指示を仰いだ。

急を知らされた宗麟はふたたび祈りと瞑想《めいそう》の生活を棄てねばならなかった。

彼は臼杵城に戻った。妻と別れて久しく見なかった臼杵城である。

当時、病気だった矢乃《やの》は奥に引きこもって城内に姿をあらわした昔の夫を無視しようとした。

同紋衆たちはあわただしく臼杵城に駆けつけてくる。

広間に出た宗麟は部屋住みだったむかし、仏像のように無表情に並んだ同紋衆たちの姿を思いだした。かつての同紋衆たちの大半はもう死にその子供たちの時代になっていた。

彼は片腕だった臼杵鑑速《あきすみ》の顔をむなしくそのなかに探した。鑑速がもし生きていればどう智慧《ちえ》を授けてくれただろう。

「この大友の家には」

と宗麟は静かに言った。

「もはや島津を相手に戦う力はない」

仏像のように並んだ同紋衆や重臣たちの体がかすかにゆれた。同紋衆たちも承知していることとは言え、宗麟がこれほど直截《ちょくさい》に指摘するとは思わなかったのだ。

「島津の兵は戦の駆け引きに巧みで精強である。日向《ひゅうが》攻めのこと、よもや忘れてはおるまい」

宗麟の言葉に反撥《はんぱつ》する声はひとつも起きなかった。彼等の記憶にはまざまざと凄惨《せいさん》にして悲惨だった日向高城《たかじょう》の敗戦の現実が刻みこまれていた。累々《るいるい》たる死屍《しし》、人も、馬も、原と畠《はたけ》を埋め尽していたのだ。

「豊後《ぶんご》は今や三方に敵を受けている。南より島津、北より毛利、そして西には島津になびく国人の輩《やから》。これを三口《みつくち》に引き受けて戦うには兵の数はあまりに少なすぎる」

宗麟の口からは次々と絶望的な言葉が繰りかえされた。それはまるで老いのくりごとのようにさえ聞えた。

首たれた同紋衆たちの顔がこわばり、暗く沈みこんだところを狙《ねら》って老獪《ろうかい》な宗麟は餌《えさ》をひとつ投げた。

「これを救う手だては二つしかない」

同紋衆たちは顔をいっせいにあげて宗麟の唇《くちびる》を見た。

「ひとつはパードレたちに頼み、南蛮の国々より兵を借りること」

そしてこの愚劣な企てを宗麟自身が同紋衆や重臣がざわめき立つ前に否定した。

「もとより、そのような儀はパードレたちがお許しになるまい。切支丹《キリシタン》の教えはひとえに和である」

それは彼の本心でもあった。宗麟はもう戦うことに疲れていた。津久見の静かな邸《やしき》で二度目の妻とひっそりと生きていたかった。

「されば今ひとつの方策として……かつて大友家が毛利と確執の折に足利《あしかが》将軍家にお力添えを頂いたことを思い出し、畿内にあってとりわけ力あるお方の助けを得るのは如何《いかが》であろう」

仏像のように並んだ同紋衆たちの体が驚きでゆれるのを宗麟はじっと見て、

「我ら九州に住む者は畿内の様子を詳しくは知らぬ。されば倖《さいわ》いにも博多《はかた》よりこの臼杵に立ち寄られた堺《さかい》の天王寺屋宗達殿より話をききたい。宗達殿ここに」

末席にいた四十をすぎた恰幅《かっぷく》ある男が腰をかがめて上座に進み、平伏した。

「苦しからず、宗達殿」

と宗麟は彼を自分のそばに来るように促した。

天王寺屋宗達は本名、津田という堺の会合衆（執政官）の一人で、九州方面に貿易を行い、茶の道に詳しかったから、広間に集まった同紋衆、重臣たちとも顔なじみだった。

宗達は信長が本能寺の変で倒れて以後、その家臣内に暗闘のあったことを語り、現在はその覇者《はしゃ》が羽柴秀吉であることを説明した。

「関白さまはただ今、大坂にそれは大きなお城をお建てでございます。諸大名こぞって大坂に巨木、巨石を運び、人数をくり出しております。天下人とはまさしく関白さまのことでございましょう」

「その関白殿に豊後は助けを求めねばならぬ」

突飛な宗麟の提案だったが、異を唱える者は広間には誰もいなかった。

「どちら様が御使者として参られるのでございまするか」

と天王寺屋宗達が、

「宜《よろ》しければみども堺にてその御使者お出迎えの支度を致します」

宗麟はむかし、この天王寺屋を通してたびたび茶道具を収集したことがあるのでこの差し出がましい発言を許した。

「天下さまのもとに伺うに……義統でなければならぬが、義統には家形としての勤めがある。余が大坂に参りたい」

誰にも異存はなかった。相手は天下人の秀吉である。救援を求める以上は礼を失しないためにも義統か宗麟かの二人しかいないのだ。

（その御老体で……）

天王寺屋宗達は痛々しそうに瘦《や》せた宗麟を上眼使いで見た。五十六歳の老人には大坂までの旅や豊後の前途を賭《か》けた交渉はきつく重く、辛《つら》いにちがいない。

同紋衆が沈黙を守りつづけるなか、宗麟は小姓や天王寺屋宗達を従えて広間を出たが廊下でかすかによろめいた。肉体的な疲労だけでなく、人生の深い疲れを宗麟は感じた。

臼杵城の二の丸で病床にあった矢乃は侍女から宗麟が久しぶりに城内に戻り、同紋衆たちと会議を開いている、と聞かされた。

「われらとは一向に関《かかわ》りなき儀」

怒ったように答えると彼女は頭を横にむけて侍女を無視する恰好をした。

しかし半刻《はんとき》がたった時、彼女は次の間に控えている侍女に、

「なんの談合であろうか」

と不意にたずねた。

その声が嗄《か》れて弱々しかったので、侍女が聞きかえすと、

「気のきかぬ女たちよ」

と怒りはじめた。

もともと性格の強い矢乃は老齢と離婚とによって更に怒りっぽく、侍女たちにも辛く当るようになっていた。

「なにやら大坂に上さまが上られるお話のようにございます」

と侍女がしばらくして答えると、

「何のためか」

とたずね、返事に窮した相手に、

「それさえ、わからぬのか」

と枕《まくら》を放って激怒した。

やがて談合が終り、宗麟がしばらく書院で天王寺屋宗達などと小憩している間、矢乃は天井をむいて何かを待っているようだった。

ひょっとして、宗麟が恩讐《おんしゅう》を忘れて、見舞に来てくれぬかと彼女は期待をしていたのである。そのくせ、矢乃の口から出るかすかな呟《つぶや》きは、

「あの気弱な男が、あの気弱な男が」

という宗麟を罵《ののし》る言葉だった。

間もなく侍女は少し迷った上で、

「ただ今、お城から津久見に戻られてございます」

と襖《ふすま》のかげから報告をすると黙りこんで身動きもしなかった。

やがて侍女たちは、かすかな、しかし長い矢乃のすすり泣きの声を聞いた。それは何かを訴えるような、何かを呪《のろ》うようなすすり泣きだった。

侍女たちは顔を見あわせ、矢乃が宗麟をまだ愛していることをそのすすり泣きから読みと

った。

宗麟の指図によって義統《よしむね》は鄭重《ていちょう》な手紙と共に次の品々を秀吉に送った。大坂城移転の祝儀《しゅうぎ》としてである。

青楓絵の一幅　玉澗《ぎょくかん》筆山水

吉光御腰物骨喰（刀）

小壺茄子《こつぼなす》

新田肩衝《かたつき》

それらの献上はもちろん宗麟が大坂に赴くための下準備であり、工作でもあった。献上物によって中央の歓心を得ようとするのは大友衆の——とりわけ宗麟の外交政策のひとつだった。

この献上物を受けとった秀吉は薩摩《さつま》の島津義久に大友氏との和平を命じている。島津氏のほうも勿論《もちろん》、関白秀吉の強大な勢力と兵力とを承知していた。

しかし義久の弟、義弘《よしひろ》や重臣の伊集院忠棟《ただむね》たちは、

「ここにて大友氏と和を講ずれば、すべての戦功は無となり申す。羽柴秀吉と申す者は由来なき仁と世上沙汰《さた》申しております」

と反対し、秀吉といえど九州まで攻め寄せては来まいと主張した。九州人の彼等には本州にたいする対抗心と独立心とが強かったのである。

むしろ一日も早く九州全部を制覇して、秀吉に対抗する兵力を持つべきだというのが義弘たちの考えである。この弟の考えに島津義久も同調した。

島津氏の使嗾《しそう》を受けて、秋月種実が天正《てんしよう》十四年七月、岩屋城の外廓《がいかく》を攻めた。岩屋城は故立花道雪のあとを継いで大友派遣軍の指揮をとった高橋紹運の居城である。

実はこの紹運の養父・高橋鑑種《あきたね》は二十年前、宗麟に謀反を起している。彼は毛利氏を共にバックにして秋月種実と同盟を結んだのだが、皮肉にもこの天正十四年両家は戦うことになった。

秋月を先陣として島津忠永や伊集院忠棟に率いられた島津軍は朝がたの闇《やみ》を利用して紹運の岩屋城城壁にじりじりと接近した。

だが城からは何の反撃もない。真黒な城はぶきみなほど静かである。その静かさが島津軍を逆に不安にさせた。

(何か……企てている)

島津忠永は城壁まぢかに肉迫した上井《うわい》覚兼《かくけん》に、

「様子を見よ」

と伝令を飛ばそうとした。

その時、すさまじい響きをたてて城壁から大石が次々と落下してきた。叫びながら上井覚兼が部下を後退させようとしたが、既に遅かった。混乱し敗走しようとする島津勢にむかって四方から銃砲が乱射してきた。

夜が白んだ。岩屋城の真下は死屍累々として眼《め》を覆《おお》う光景である。

戦は二時間を過ぎ、時刻は卯《う》の刻（午前六時）となっていた。

「敵は精強なれど無勢でござる」

戦上手な伊集院忠棟と稲富新介たちはひるむ味方を励まして言った。

「亥《い》の刻（午後十時）までには必ず落ちよう。息をつかせてはならぬ」

攻めに攻めれば敵も弾を失い、石を失い、人を失って必ず落城すると稲富新介は言った。

精悍《せいかん》な薩摩勢はその後七時間に渡って猛攻に猛攻を続けている。手薄な二の丸が陥ち、続いて詰《つめ》の丸が落ちた。

やがて一人の将が櫓《やぐら》に登り、

「わが死にざま、とくと御覧《ごろう》じろ」

と大声で叫んだ。叫んだのは岩屋城の城主、高橋紹運だ。午後の暑い光がその男の全身に照りつけた。

と、彼の声が朗々とひびきはじめた。最後の経文を唱えているのである。生き残った城内の傷兵も城に突入した島津勢もじっとこの読経《どきよう》の声に耳傾けていた。

読経が終った時、蟬《せみ》の声が一段とやかましくなった。

宗麟をのせた大船は天正十四年の三月、臼杵から出帆した。従者の人数は僅《わず》かで柴田統勝、僧の門室、そして佐藤新介たちである。

「余はこの旅の間、天徳寺宗滴と名のることにする」

と出発前、彼は自分の改号を家臣に告げた。

船は堺を目指した。室津まではかつて瀬戸内海の海賊たちに襲われることもあって危険だったが、今は秀吉の謁見《えっけん》を受けるという大名目がある。

それでも室津にようやく到着した時は一同ほっとした気持だった。

「お体、お障りございませぬか」

僧門室はたびたび訊《たず》ねたが、宗麟は、

「案ずるな」

と船酔いに耐えながら答えた。

半月もの航海中、宗麟は祈りを怠らなかった。門室も柴田統勝も宗麟が跪《ひざまず》いて祈っている姿をたびたび見た。

堺の港には既に天王寺屋宗達の指示で迎えの者たちが待っていた。宿舎は先にも書いたように堺の妙国寺である。

関白秀吉との謁見の仲介は宮内卿《くないきよう》法印なので、その法印に使者をたて四月六日の朝に大坂に入る旨《むね》を伝えた。

「帰宅候　従中途雨降」

秀吉への謁見が宗麟に過重な緊張を強《し》いたのか、翌日、彼は遅くまで床にいた。ようやく起きあがって豊後の重臣あての手紙を僧門室に書かせた。

古荘《ふるしよう》丹後、葛西宗筌、斎藤道璨《どうれき》三人宛《あて》のその手紙によって当日、夕方から雨だった事もわかるし、謁見の時の秀吉の服装もわかる。現在「大分県史料」に収められているその手紙の面白さのひとつは宗麟がどれほどの好奇心をもって秀吉の服装を細部にわたって観察していたかである。言いかえるならば宗麟がどれほど洒落者《しやれもの》だったかも推察できるのだ。

宗麟の救援要請を入れて秀吉はただちに島津義久《よしひさ》と中国の毛利輝元《てるもと》とに和平案を送った。

毛利は九州のうち肥前を取る。

筑前《ちくぜん》は秀吉の直轄領《ちよつかつりよう》とする。

豊前《ぶぜん》、肥後の半国と豊後、筑後は大友家の領地とする。

薩摩、大隅《おおすみ》、日向と肥後、豊前の半国は島津領とする。

「当家は頼朝《よりとも》以来、愀変《しゅうへん》なき家」

というのが島津家の誇りである。

たしかに島津家は初代、忠久以来十五代、薩摩、大隅の守護として愀変（変り）なき名家である。

その誇りがあるだけに血すじもわからぬ羽柴秀吉から命令を受けるおぼえはない。

「かの羽柴とは何者ぞ。由来なき者なり」

と島津家中はこの侮辱に怒りで沸きたった。

義久も弟の義弘もこの和議提案をまったく無視して岩屋城を陥落させ、高橋紹運を自決させると、故立花道雪の居城で養子の統虎《むねとら》が守備している立花城を包囲した。

大坂にはこの島津氏の行動は逐一、報告されている。

「薩摩の蟷螂《とうろう》が斧《おの》をあげるか」

と秀吉は側近に笑ってみせた。むしろ彼はいずれは行わねばならぬ九州攻めの大義名分ができたことを悦《よろこ》んでいた。

最初に動員を受けたのは讃岐《さぬき》、高松の仙石秀久《せんごくひでひさ》や高知、岡豊の長宗我部《ちょうそかべ》元親《もとちか》の四国勢である。彼等は府内沖の浜で大友軍団と合流して南下を開始した。

「島津氏、戦に巧みにして士気また侮《あなど》り難し、余自ら出陣までは功名にはやり戦を急ぐべからず」

というのがこの時の秀吉の命令である。

慎重な秀吉は九州征討の準備を大がかりにやった。所要の人馬、武具、兵糧《ひょうろう》も計画をねって、それを次々と実行させている。その輸送計画の中心になったのが堺《さかい》の商人や同じく堺出身の小西行長たちだった。

島津氏は秀吉軍団の装備や兵数を侮っていた。彼等が戦ってきたのは九州の土豪や国人たちである。

四国勢が府内の沖の浜に到着するのを大友勢は弱体になった兵力で一日千秋の思いで待っていた。秀吉からは、

「たとえ、かの悪党(島津勢)合戦を挑《いど》み申し候《そうろう》とも、かまいなく、堅固の覚悟これあるべく候。四国中国の勢、追っつけ着岸あるべき条、その間、かりそめの働きも無用に候」

と厳命されていた。

この命を受けとった時、

「豊後勢をかくも侮り給うか」

と義統はむしろ興ざめした顔をした。

九月、待望の四国勢が豊後に到着した。四国勢の指揮官の一人、仙石秀久は元来、自己顕示欲の強い性格があり、秀吉の出陣までは、「功名にはやり戦を急ぐべからず」という命令を忘れて、

「我ら参り候上は島津勢など蹴散《けち》らかしてごらんずる」

と出迎えた大友家の家臣に豪語したほどだった。

島津義久はこうした敵側の動きを察知して彼等の兵を他に向ける作戦をとった。まず豊後、南郡衆を煽動《せんどう》して反乱を起させ、秀吉軍の出かたや作戦を見ようと試みたのである。

煽動をうけて島津側に内応したのはかつて若き頃《ころ》の宗麟の教育係として、また二階崩れの変の張本人として亡《ほろ》ぼされた入田親誠《にゅうたちかざね》の子、入田義実《よしざね》（宗和）である。

続いて志賀道益、柴田紹安という国人衆が次々と大友氏に背いていった。

大友義統も仙石秀久も秀吉からの「かりそめの働き無用」「功名にはやり戦を急ぐべからず」の命令を無視して、これら南郡衆の反乱制圧に乗り出した。島津義久の思う壺《つぼ》になったのである。

当然、大友家の根拠地である豊後南部は、手薄になった。豊後南郡には大友家の朽網鑑康《くたみあきやす》、一万田《いちまだ》鑑実の両部隊しか残っていない。それが島津側の狙《ねら》いである。

「敵、わが罠《わな》にかかれり」

家久と義弘とはそれぞれ日向《ひゅうが》、肥後との両方面から怒濤《どとう》のように雪崩こんだ。

家久の軍団は栢野《かしわの》、小牧を陥し、野津院《のついん》を苦戦の後に攻略、佐伯惟定《さいきこれさだ》の守る栂牟礼《とがむれ》城では敗れたものの更に北上を続けた。

大友勢も死に物狂いだった。十二月上旬、臼杵西方の上戸次の鶴賀《つるが》城が両軍の決戦場に選ばれた。城主の利光宗魚《としみつそうぎょ》は新手を次々と繰りだす一万八千の島津に大木、大石を投げ落し、烈《はげ》しく銃火をあびせて抵抗した。この時、島津勢は死傷三千に及んだといわれる。

櫓から指揮をとっていた宗魚が矢をうけて戦死、城兵も千の死傷者を出したが義統の救援を待って必死に頑張《がんば》った。

仙石秀久や長宗我部元親は義統から相談を受けると、

「関白殿下には後ほどお許し願い出て、急務の援兵致しかたあるまい」

と鶴賀城救援を奨《すす》めた。

十二月十一日、仙石、長宗我部、大友の連合軍は鶴賀城の西、戸次川を挟んで島津軍と対陣した。戸次川は別名、犬飼川ともよぶ大河である。

十一日の戦略会議で長宗我部元親は、

「敵が川端から引いて陣立て致しているのは謀略である。おそらく堤のかげに兵をひそませているであろう」

と渡河に反対したが、四国軍監の仙石秀久は源平の宇治川の合戦の例などをあげ、

「方々に同心なくんば、われら一手をもって川を渡すべし」

と言い張り、渡河決行を実行させた。

長宗我部元親の嫡男《ちゃくなん》、信親が戦死したのはこの無謀な仙石秀久の作戦によってである。島津軍の「釣野伏《つるのぶせ》の兵法」に誘《お》びきよせられた大友、仙石、長宗我部の連合軍は多くの兵を失い、徹底的に潰滅《かいめつ》させられた。二十二歳の長宗我部信親は敵に突入してこの時、中津留《なかつる》川原七百の将兵と共に島津勢に討たれた。

今日でも戸次川近くの信親墓では長宗我部の戦死者の子孫たちが毎年、慰霊祭を行っている。

卑怯《ひきょう》にも仙石秀久は戦場から離脱して四国に逃げ帰っている。「仙石は四国を指して逃げにけり　三国一の臆病《おくびょう》の者」という皮肉な歌はこれを指している。長宗我部元親もまた府内沖の浜から乗船して伊予《いよ》に退いた。大友義統は別府に近い高崎山（今は猿《さる》で有名である）に逃げ、老体の宗麟のみが臼杵城にたてこもって怒濤のように押し寄せる島津軍に抵抗を試みた。

矢乃の死

フロイスによれば（彼は異教徒たちにたいして寛容でなかったので、その点を考慮せねばならぬが）豊後に侵入した島津軍は攻め入った村落をことごとく焼き払い、うち壊して通過していったという。彼等が去ったあと何ひとつ満足なものは残っていなかった。

「最も嘆かわしかったのは実におびただしい数の人質、とりわけ婦人、少年、少女たちを拉《ら》致《ち》するのが目撃されたことである。これらの人質にたいして彼等は異常なばかりの残虐《ざんぎやく》行為をした」

蝗《いなご》の集団が草も樹《き》もすべてを食いつくして進むように島津勢は臼杵《うすき》に迫りつつあった。臼杵から三里離れた野津は府内や臼杵につづいて切支丹《キリシタン》信徒の多い集落だったが、その切支丹の有力者、柴田シモン（日本名不明）は島津軍に捕えられ殺害された。

敵軍が間近に迫るの報が伝わると臼杵の城下町は騒然となった。家具を持ち運ぶのを断念した人々は米も衣類も台所用品も地中に埋めて城に避難を開始した。

城下町の狭い道を赤ん坊をかかえ、幼児の手を引いた女たちが泥川《どろがわ》のように城に逃げてい

く。しかし、

「城にたどり着いたところで、家屋もあるわけでなく、水も少ない。小さな井戸はたちまち干あがり、薪《まき》も食糧もなく、酷寒から身を守る隠れ場もなかった」とフロイスは書いている。「冷たい堅い地面か、さもなければ、城に避難した群衆に踏まれ、一面、泥濘《でいねい》と化した不潔で悪臭を放つ泥土の上で耐えねばならなかった」

臼杵の教会と修道院とでは折しも聖誕祭を前にしてその準備にかかっていたが、

「島津勢がもはや臼杵に入りました」

という信者の急報にゴーメス神父たちは修道院の家財や聖具もそのままに城に避難する有様だった。

やがてこれが誤報とわかり修道士たちは天秤《てんびん》を肩にして食糧を取りにいった。だが修道院の大時計とか、聖母の素晴らしい絵などは運ぶことができなかった。

十二月二十七日、島津軍の先鋒《せんぽう》が近くに出現しはじめたのが、修道院の屋根に登った日本人修道士たちの眼《め》にうつった。

修道士たちは大急ぎで屋根からおり、城に逃げ去った。修道院や教会から城に通ずる路《みち》は真昼の沈黙のなかでまったく無人だった。

敵がもう侵入しはじめたと知らされると城の空地を埋めた女たちの嗚咽《おえつ》や子供たちの泣声が城内にも聞えてきた。

ゴーメス神父が、府内の上司であるカルデロン神父に宛《あ》てた手紙はこの時の重苦しい光景をなまなましく伝えている。

「私たちは包囲され、主が私たちに何をお望みか待っています」

城内には戦える兵は少く、義統《よしむね》たちの援軍は当てにならなかった。群衆はゴーメス神父が敵と交渉し、全員の生命を保証してくれれば城をあけ渡すと談合してほしいと頼んだようである。ゴーメス神父は次のように答えた。

「皆さまがそうすべきと決心しておられるならば私も敵と話しあって参ります。だが、それには条件がございます。国主フランシスコ（宗麟《そうりん》）さまか、お家形《やかた》さまの奥方か、その他の御重臣の御署名がある委任状を頂かねばなりませぬ。さもなければお家形さまは開城のすべての責任をこの私のせいになされますから」

反切支丹の義統を知っているだけにゴーメス神父の返事はもっともだった。

臼杵城内のほとんどの兵は義統に率いられて出陣していた。城内には宗麟のかつての妻、矢乃と二人の娘マセンシア（日本名不明）、レジイナ（日本名不明）たちなど女の数のほうが戦える将兵より多かった。

この頃、二百人ほどの島津軍先発隊が兎居島《うさいじま》の岩蔭《いわかげ》や繁《しげ》みにかくれて城をうかがっていた。

「大筒《おおづつ》をうて」

城内に留《とど》った臼杵鎮順、古荘丹後、柴田礼能など僅《わず》かな大友方武将は二年前に手に入れた

「国崩《くにくず》し」という二門の大砲を使うことを協議した。

大筒の威力はすさまじかった。一発で樹かげにかくれた島津兵数名が舞いあがり地上に落ちる光景に城内の群衆は声をあげた。

大筒の勢いに乗じて少数ながら大友勢は攻撃にかかった。柴田礼能は嫡男の柴田久蔵と数名の家来を従えて城から平清水口に駆けおりた。

すさまじいその勢いと奮戦ぶりに押されて島津勢は退いたが、民家にかくれていたその一隊の兵たちが柴田礼能の背後から槍《やり》で貫き、矢をあびせたために、礼能も久蔵も戦死した。

勝ち誇った島津勢は二人の首を槍の穂先に突きさし、城下で大声をあげた。

「ごろうじろ。柴田殿の御首、頂戴仕《ちようだいつかまつ》った」

臼杵城が頼りにするのは豊前竜王《りゆうおう》城に逃げこんだ義統の援軍が南下してくることだった。更に関白秀吉の命で豊前に黒田長政や安国寺恵瓊《えけい》、小早川隆景《たかかげ》、吉川《きつかわ》元春の軍団が到着したという知らせだった。

その援軍のなかにかつてのライバルだった毛利元就《もとなり》の子供たち——小早川、吉川の軍勢がまじっているのを知って宗麟は複雑な表情をして呟《つぶや》いた。

「余の時節も既に去った」

事実、彼が臼杵城に入ったのは軍の指揮をとるためではなく無防備な津久見《つくみ》にいるのは危険だからだった。

余の時節は終った。実際、この城で彼がやっているのは祈りとそして城内に逃亡してきた窮民たちを救済することだった。

乏しい食糧をわかち与えたほか宗麟と切支丹だった娘マセンシアたちは寒さに苦しむ女子供に自分たちの衣服を断ち切って与えた。ロザリオを片手にして城から現われる老人とその娘をみて女たちが手をあわせることもあった。

城内では切迫した雰囲気《ふんいき》のなかで神父たちの布教が続けられ、まず宗麟の次女が洗礼を受けた。レジイナという洗礼名しかわかっていない。

重臣志賀道輝は反切支丹の一人だったが妻と共に洗礼を受けたのも、この時だった。

同じ城内にいながら矢乃はかつての夫の廓《くるわ》をたずねようとはしなかった。宗麟もまた床に臥《ふ》している彼女との接触をさけた。

あれほど切支丹を憎んでいた彼女も老齢と孤独とに少しずつ弱気になっていた。彼女は侍女たちがひそかにゴーメス神父や修道士の話を聞いているのに気づいていたが、黙っていた。

そして、

「殿（宗麟）はお元気か」

と痰《たん》のからんだ声でたずねた。侍女が、

「殿もお疲れの御気配にござります」

と答えると泪《なみだ》を流した。

彼女はぬれた眼をつぶってかつて奈多八幡宮《なだはちまんぐう》の祭りにはじめて宗麟と出会った日のことを思いだしていた。

久しく訪れない奈多の海。白い砂浜。そこは彼女が仲よかった侍女と共に遊んだ場所である。

矢乃はもはや、すべてが自分を見棄《みす》てたのを感じた。夫も、かつて仲よかった侍女も。彼女には奈多八幡の娘という誇りがあったからどうしても切支丹を理解することができなかった。夫がなぜ多くの国人たちの反対や反乱を承知で切支丹にしがみつくのか、矢乃にはどうしてもわからない。

すべてはあのフランシスコ・ザビエルという宣教師から始まったのだ。瘦《や》せて弱々しい南蛮人の出現が夫と彼女との対立を作り、多くの重臣たちの謀反《むほん》を引き起した。それなのに夫はどうしても切支丹を追放しようとしなかった。そしてその信徒にさえなった。矢乃にはなぜか理解できない。

わかっているのは自分が今、夫にくらべてはるかに孤独で、不幸だ、ということだった。宗麟から捨てられて老いていく。女にとって他の何ものよりも愛に裏切られることほど辛《つら》いものはなかった。夕暮になると彼女は一人で泣いた。

臼杵の島津先鋒隊は野津まで進出してきた本隊に援軍を求めた。城内には女子供が多く、戦闘できる兵の数が少いとわかったからである。

「あとひと寄せに候《そうろう》」

という連絡を送ったが戻ってきた返事は、

「引き返せ」

という思いもかけぬものだった。島津軍としては竜王城にいる大友義統と秀吉軍の先発隊、黒田長政の反撃を怖《おそ》れたのである。

「敵の姿が見えませぬ」

包囲後四日目の朝、臼杵城内では驚きと共に悦《よろこ》びの声があがった。僅かな城兵たちは敵の本隊がまもなく到着し、総攻撃が始まるものと考えていたからだ。

宗麟は切支丹の娘や信徒の家臣たちと神に感謝の祈りを捧《ささ》げ、修道士は走って、見棄てねばならなかった教会と修道院とを見にいった。

あれほどすべてを破壊して去っていく薩摩《さつま》軍なのに修道院の聖母の像ももとの儘《まま》だったし金メッキの大きな十字架も一度取り出したあと箱に収められていた。

「島津勢のやりましたことは」

戻ってきた修道士はゴーメス神父に糞真面目《くそまじめ》な顔をして報告した。

「我らの飼っておりました鶏を殺し、その頭を地に埋め、脚のみを地面に出したことでございますー」

ゴーメス神父は何故《なぜ》、そんな行為をしたのか、わからなかった。

「なぜであろう」

修道士は表情を崩さず真剣に答えた。

「わかりませぬ」

ゴーメス神父がそれを宗麟に告げると、

「島津の兵どもには呪術《じゆじゆつ》呪法を使う者多くありと聞き及ぶ。そのためでござろう」

と彼は苦笑して答えた。

城内から群衆が怒濤《どとう》のように街に戻っていった。彼等は争って人のいない家に入り盗みを働いた。そのうちの何人かが十九年前にアルメイダが建てた旧教会に火をつけたが炎は修道院をも焼きつくした。

だが幸いなことには新教会とあの島津勢も汚さなかった聖母の絵とは残った。

その絵を破壊したのは臼杵救援に四国より海路からかけつけた仙石秀久《せんごくひでひさ》の兵士たちだった。

彼等は寒さをしのぐため教会を解体し、塀《へい》をこわして燃やし、鐘を臼杵川に放《ほう》りこんだ。

関白秀吉の大軍が来る——

この報が鹿児島に届くと、緊急の会議が島津家で招集され、外城地頭といわれる上級家臣の談合が行われた。

昨年十二月鶴賀《つるが》城の戸次川原で秀吉の派遣した長宗我部《ちょうそかべ》や仙石秀久の四国勢を大敗させたことは島津家の一部に、

(上方《かみがた》の衆、怖るるにたらず)

という自信をいやが上にも高めさせていた。

それら自信派はこの談合でも、

「断乎《だんこ》、戦うべし」

と主張し、それにたいして、

「兵の数においても関白の軍勢はわれらの数倍にござる」

と和議を申し入れるよう反対する派もあった。

島津の兵力は集めに集めても四、五万であろう。

ついでに書いておくと島津軍の編成は外城地頭とよばれる島津氏から各地域に配置された有力武将の下に衆中という在地土豪が属している。それは戦国時代の他の地域における寄親と寄子の関係によく似ている。

「関白の兵力はおよそ、どれほどか」

と島津義久は筆頭老中の伊集院忠棟《ただむね》にたずねた。

「およそ二十万と思われます」

と忠棟は答えた。彼は秀吉への外交使節としてこの年の一月、大坂に派遣した鎌田《かまた》政広と禅僧・南浦文之からおよその情勢を聞いていたのである。

秀吉はこの鎌田政広に肥後半国、豊前《ぶぜん》半国、筑後《ちくご》と豊後《ぶんご》を大友領、肥前は毛利領、筑前は秀吉の直轄地《ちょっかつち》、それ以外は島津領とする国わけ案を示した。大坂に赴いた宗麟はこれを承知したが、島津氏は回答をずるずると引き延したままだったのである。

「二十万に、勝算があるか」

と義久《よしひさ》は猛将をもって鳴る弟の義弘《よしひろ》に顔をむけた。

下ぶくれのした顔の義弘は憮然《ぶぜん》として、

「戦うてみねば勝つも負けるもわかりませぬ」

と答えた。

「さらば、戦おう」

と義久はうなずいた。

義久も義弘も豊臣《とよとみ》軍団の強さを知らぬわけではなかった。彼等が本格的に九州に上陸してくれば九州各地の国人たちが島津を捨て秀吉に内応することは明白だった。強い側に味方するのは九州の土豪、国人のやむをえぬ処世術だったからである。

しかしそれでも戦う。

それは意地だけのためではなかった。義久は薩摩勢の勇猛さを秀吉に見せることで、その後の和睦《わぼく》交渉を有利に運びたかったのである。島津を騒がせてはあとあと面倒になると秀吉に思わせるため敗《ま》けるを覚悟で抗戦を決めたのだ。

「さらば戦おう」

と言った義久は二万を率いて日向《ひゅうが》の国境から攻めのぼり戸次川原で秀吉派遣軍の仙石、長宗我部、そして大友義統の連合軍を破ったことは先述した通りである。

島津の侵入軍にたいし岡城を守る志賀親次《ちかつぐ》が頑強《がんきょう》に抵抗した。親次は名門志賀氏に生れ、十八歳で父の親孝の死後家督をつぎ岡城主となったが十二歳の頃《ころ》から切支丹の教えに関心を持ち、天正《てんしょう》十一年、義統の反対を押し切って洗礼を受けた。

天正十四年十月二十日、肥後口から侵入してきた島津義弘の武将、稲富新介以下五千が岡城攻撃をしかけて撃退された後、十二月に一万五千の新手をもって攻めに攻めたが、城兵はよく持ちこたえた。

余談だがこの岡城は実際、取材してみると想像以上の規模の城で、しかも天然の要害そのものである。島津軍が攻めてきた滑瀬橋《ぬめりで》から城に入るには川を越えねばならず、至難だったことが城の上から見てもすぐわかる。志賀親次はそこをめがけて銃火を集中した。

もともと秀吉にとって九州征伐が本来の目的ではなかった。九州は彼にとってやがて決行すべき「唐入り」つまり明《みん》への遠征軍のための基地にすぎなかったのである。兵の数の差だけではなく、装備において信長軍団に更に磨《みが》きをかけた秀吉の大軍と島津のそれとではあまりに差がある。

話は少しそれるが四国の長宗我部軍と羽柴秀長が戦った時、長宗我部側の谷忠兵衛は、
「（秀吉勢は）武具、馬具綺麗《きれい》にして光り輝き金銀をちりばめ、馬は大長にして眉《まゆ》上るが如《ごと》し、武者は指物、小旗を背に吃《きっ》とさしていかめしき体」にくらべ、長宗我部の軍勢は「十人が七人は土《と》佐《さ》駒《ごま》に乗り、曲り鞍《くら》を敷き、木鐙《あぶみ》をかけたり、武者は鎧毛《よろいげ》切れ腐りて麻糸を以て綴《つづ》り集めて着し、腰小旗を横たわりて上方の武者には似るべくもなし」

とのべている。

兵農分離によって戦争専門の精鋭戦士を持った秀吉軍にたいして島津勢はこの長宗我部軍とほぼ同じだったであろう。

島津勢の軍役には先にのべた地頭衆は別として衆中のなかには農業に従事する者も多かった。したがって如何《いか》に勇猛果敢とはいえ薩摩の軍隊など秀吉の眼からみると烏合《うごう》の衆に見えたにちがいない。

天正十五年一月、中国の宇《う》喜《き》多《た》秀家《ひでいえ》が出陣、続いて二月十日に秀吉の弟、羽柴秀長が、三月一日に秀吉自身が出陣した。その総勢十八万六千である。

「上さま」

と悦んだ家臣がその知らせを宗麟に伝えると、宗麟は、

「余を上さまなど申すのは今をもって終りであろう。九州六ヶ国の守護なりし大友家は今日から関白殿の下知に従う」

と憮然として言った。

大坂城で会った秀吉の満悦至極な表情がはっきりと宗麟に浮かんだ。

大坂城の規模、動員されている労働者の数に宗麟は驚愕《きょうがく》し、豊後の大友館や臼杵城と比較して、格が違うと思った。

城内の贅沢《ぜいたく》さはもとより秀吉が見せた金の茶室など、すべてが想像を絶する豊かさだった。

秀吉はその得意さを無邪気に露骨に表情や態度にあらわした。宗麟の肩に手をかけたり、いたわったりするのも結局はその得意さのあらわれだった。宗麟は恐縮しながらも、かすかな軽蔑《けいべつ》をその時、感じた。

「宗滴（宗麟）は切支丹と聞いたが寔《まこと》か」

大坂城を自ら案内してくれながら秀吉は突然たずねた、それは金銀の蔵数や宝物の入場所をさし示して教えてくれた直後だった。

「さ、にござりまする」

と、宗麟が答えた時、

「余の家臣にも切支丹に帰依《きえ》した者が何人かはいる。余も南蛮僧たちに申しつけた。南蛮僧が教えを広めるのみに専心致す限りは余は何も口は出しはせぬと」

「御意にございます」

「宗滴は南蛮船との商いのために切支丹となったか」

「はじめは、さにございました。されど豊後に南蛮船が参らぬようになりましてから宗滴は切支丹になりました」

「豊後を富ますに何も役立たぬと知ってからか」

「はい」

「解《ゲ》せぬの」

と秀吉はいかにもふしぎそうに、

「領国に利をもたらさぬと承知してその領主が切支丹になるとは」

「それから従えた家臣たちを見て皮肉な笑いかたをした。

その瞬間、宗麟のまぶたの裏にあの痩せた孤独な宣教師の姿が浮かんだ。彼の人生を横切り、その痕跡《あと》を残していった人。

(関白殿にあのお方の生きかたはおわかりになるまい)

宗麟は眼をつむって心をかすめたその不遜《ふそん》な考えを追い払おうとした。

「宗滴はくたびれたか」

と秀吉は気づいてたずねた。

その夜、宿舎の妙国寺に戻った彼は夜半、雨の音に眼ざめて闇《やみ》を見つめながら、自分の不遜な思いをもう一度、かみしめた。

(九州すべてが関白殿の思うがままになる。わが子義統《よしむね》などはその御意に走りまわる日が参るであろう)

だが宗麟にとっては大友の家名と義統のため豊後一国が安堵《あんど》されれば、そのほかはどうでもよかった。王のものは王に還《かえ》り神のものは神に還るのだ、と宣教師たちはいつも言っていた。その通りなのだ。そして領地や権力に汲々《きゅうきゅう》としてこの世を送った者は、いつかそれが耐えがたい重荷だったことを知る——宗麟は自分の起伏のあった人生を通してその事実を心底から知った。

(主よ、今の私が欲しいのは休息です。戦ではありませぬ。安らかなやすらぎ……)

秀吉の第一軍団は弟の秀長の指揮のもとに三月三日、下関に着き、竜王城から挨拶《あいさつ》に赴いた大友義統を迎え、黒田孝高《よしたか》、蜂須賀《はちすか》家政、毛利輝元《てるもと》、小早川隆景《たかかげ》、宇喜多秀家の諸軍を麾《き》下《か》において豊後に入った。

府内を占領していた島津義弘は秀長の大軍をここでむかえ撃つ不利を知っていたから、もちろん退却しはじめた。三月十三日の大雨の夜だった。

義弘が退却を開始すると、別の地点にいた島津軍も退きだした。あれほど精悍《せいかん》だった島津軍が引き潮のように占領地点から引きはじめたのは無用の出血を避けるためだった。

義弘は兄の義久と計り、秀吉との決戦地を日向新納院《にいろのいん》の高城《たかじょう》に決定していた。

高城――それは島津氏にとって栄光の思い出のある城である。大友宗麟の四万の軍勢を迎えてこれを挟撃《きょうげき》し、徹底的に潰滅《かいめつ》させ、高城から耳川まで七里の間を敵の死体をもって埋めた徹底的勝利の地である。

「あの日のごとく」

と、義弘は兄に進言した。

「小丸川《おまる》に秀長の軍を誘いだし、南岸に兵を伏せ、城兵と謀《はか》って一挙にこれを討つ所存でござる。この一戦に島津の全運を賭《か》けて我らは戦うてみせましょう」

大友の大軍を敗走せしめた快感を義久、義弘は忘れることはできない。その再現に薩摩のすべてがかかっているのだ。

高城の守備もあの時とまったく同じ猛将、山田新介有信と千三百の兵である。

秀長軍は退却していく島津軍を「浮足だった」と見なしたらしい。報告を受けた秀吉は島津を退治致すには「太刀も刀も入りまじく候」と言っているほどである。

南下した秀長軍は延岡をすぎ耳川を渡り、決戦場の高城に迫った。

島津義久と義弘はかつて大友軍と戦った時のごとく都於郡《とのこおり》城に入った。

余談だが都於郡城を現地で見ても、この島津軍と秀長軍との決戦の件についてはまったく現地の立札には説明されていないがこの都於郡城はかつて伊東氏の拠《よ》った城でこの時、天正の少年使節としてローマに向っていた伊東マンショが少年時代には記憶のある城である。秀長の軍勢は高城を包囲した。彼等はもちろん、ここが大友の大軍が大敗を喫した場所だとは知っている。

城下を小丸川という川が流れているが大河ではない。城も岡城のような嶮岨《けんそ》な山ではなく丸みをおびた丘陵にすぎぬ。

(ここは備中高松城を思わせる)

と秀長はかつて兄の秀吉が毛利軍と戦った時、備中の高松城を包囲した時のことを不意に思いだした。

その時も城の前面に布陣した秀吉軍を背後の山々にいる毛利軍が挟撃する態勢をとった。

(あの時は城を水攻めと致し、兵糧をたったが)

足守《あしもり》川の水を流させ城の周りを湖水として孤立させた戦法と同じことをやれぬかと考えたのである。

とに角、小丸川を隔てて城をかこみ、東西にも長い陣を布《し》いて、五十一ヶ所に砦《とりで》を作り、望楼をたて、昼は旗、指物をならべ、夜は篝火を燃やして蟻の這い出る隙もない。島津の本隊と高城との連絡を完全に断って孤立させたのである。

九年前の天正六年、日向奪回をめざして大友軍団がここに布陣した時は南岸一帯に布陣した島津軍の罠《わな》作戦に引っかかった。平地に誘い出された大友軍に島津の伏兵が襲いかかった。そしてそれが切掛けとなって大友軍は背後からは高城の敵に、正面からは島津の本隊にはさみ討ちとなり、三千余の将兵を失っている。

「島津勢は同じ手口を使《つこ》うてくるか」

と秀長は笑って諸将にたずねた。

「いや、島津は夜襲を得意とすると聞いておりますゆえ、夜襲をかけて参りましょう」

と宮部継潤が答えた。

宮部継潤はもともと比叡《ひえい》山の僧侶《そうりょ》だったが、後に浅井長政に仕えた後、秀吉の誘引に応じてその家来となった武将である。

彼は自分の予感した夜襲に備えてその日、根白坂の砦に深さ四米《メートル》、幅六米の空堀を掘り、岸に柵《さく》を三重にたて、土堤にも柱をうずめ巻藁《まきわら》を結んで塀《へい》を作った。そして島津の夜襲を待った。

四月十七日、島津義久、義弘兄弟は継潤の考えた通り二万の軍で猛烈な夜襲をかけてきた。

「敵ぞ」

と宮部の将兵は柵の内側で鉄砲や槍《やり》をかまえて待機した。

狂ったように叫び、吠えながら島津軍は殺到してきた。柵にとりつき、槍にさされ、銃撃をあびて石のように落ちても次々と襲ってくる。

波状攻撃を繰りかえす島津勢にたいして宮部軍は柵の縄《なわ》を切った。下敷になって圧死した島津軍は八百余、それでも新手が攻めてくる。

遂《つい》に宮部軍は二の丸も奪られ、三の丸も失った。島津義久も義弘もすべてをこの高城の戦にかけ、死に物狂いの決戦場ときめていたから、そのすさまじい勢いに抗しきれなかったのである。

夜があけた。山々が白み、樹々《きぎ》や林が浮かびあがった。宮部継潤の砦が島津軍に包囲され苦戦しているのを見た秀長は、

「善祥坊（継潤）危し」

と救援に赴こうとしたが、軍目付《いくさ》の尾藤知定が、

「敵に勢いある時にこれを攻めるは難《かた》うございます」

とおしとどめ、総大将秀長の出陣をとめた。そしてそのかわり藤堂高虎《たかとら》がまず根白坂砦の援軍となり、小早川、黒田の両軍団もこれに加わった。

夜襲によって疲れている島津軍と新手をくりだした秀長軍とでは兵力もちがった。武器、弾薬にも差があった。このまま戦を継続すれば島津軍の敗退は明らかである。

って義久と義弘は全軍撤退をやむなく命じた。かつてこの高城で大友軍を大敗せしめた時とまったく逆になったのである。

幸いなことに秀長軍は退却する島津軍を追撃してこなかった。軍目付の尾藤知定がこの時も慎重論を主張したからである。

余談だが尾藤はこの責任を問われ、先に戸次川原の戦で失敗した仙石秀久《せんごくひでひさ》にかわって宛《あて》がわれた讃岐《さぬき》を没収され、小田原役後、剃髪《ていはつ》して許しを乞《こ》うたが許されず下野那須野《しもつけなすの》で死を賜っている。

この捷報《しょうほう》が臼杵城に届くと城内は歓声で沸きたったが宗麟は、

「そうであるか」

と表情もほとんど変えなかった。彼は太閤《たいこう》秀吉の大軍の力をはじめから予想していただけでなく、関心が信仰だけに集中していたからである。

「津久見に戻る」

と彼は妻の露に言った。

「もはや津久見は安泰である。ここ臼杵に留《とど》まる用はない。津久見にてふたたび静かなる日々を送りたい」

宗麟とその妻子たちは難民や仙石秀久の将兵たちに掠奪《りゃくだつ》された臼杵の町を通りぬけて津久見に向った。

街にはあの美しい臼杵の教会ももう失《う》せていた。修道院も火事の残骸《ざんがい》だけを残していた。辛《かろ》うじて襤《ぼ》衣《ろ》を身につけた男女や子供たちが放心したように宗麟たちの駕籠《かご》を眺《なが》めていた。

（人の心のはかなさよ）

駕籠のなかで宗麟は今度の戦で大友家を裏切った歴代の家臣たちの名をひとつ、ひとつ思いだした。戸次鎮連《べっきしげつら》、一万田宗挨《いちまだそうあい》、柴田紹安、志賀道雲、朽網鑑康《くたみあきやす》、入田義実《にゅうた》。

だが今の宗麟にはふしぎにそれらの裏切者たちを憎み、恨む気持が起らなかった。彼等もそれぞれ国人の城主として養わねばならぬ一族や家来があったのだ。大きさこそ違え、それは長い間の大友家家形《やかた》としての自分の立場とそっくりだった。

（たのみと致すに足るは、ただ神《デウス》のみ）

彼は戦いの世に生れたからこそ、その事実を痛切に感ずることができた。

宗麟が臼杵を去った日、矢乃は何やら城内の騒がしさに気づいて、

「何ぞあったか」

と侍女にたずねた。侍女が仕方なく事実を告げると、

「やはり津久見に去られたのか」

矢乃は寂しげに呟《つぶや》き、眼《め》をつむった。
その翌日から彼女の容態は悪くなった。数日後に至って孤独な女は息をひきとった。

臨終の頃《ころ》

臼杵《うすき》から島津軍は撤退をしたが、そのような些事《さじ》など秀吉《ひでよし》は問題にもしていなかった。

「豊後《ぶんご》に参るにも及ばず」

と秀吉は島津軍敗退をきいて側近に語った。

「太刀もかたなも入りまじく」

彼自身には九州の征服は当然のことだった。秀吉はもっと無謀で誇大妄想《もうそう》的な計画をたてていた。

朝鮮と明《みん》とに大軍を送ることである。九州はその前進拠点にするつもりである。

軍備においても兵数においても余りに違いすぎる島津勢が何時《いつ》までも持ちこたえられる筈《はず》はない。秀吉のほうは悠々《ゆうゆう》と本隊のなかに本願寺門主や堺《さかい》の商人、女房衆まで入れて南下していた。

三月二十五日、下関に着いた彼は二十八日、小倉城、二十九日には馬ヶ岳城（行橋市）に入り、ここで島津軍の引きあげた豊後に入るのはやめて筑前《ちくぜん》、秋月城（甘木市）に向った。

島津軍の敗色が濃いのにかかわらず、筑前の秋月種実《たねざね》は、まだ秀吉に反意を持ちつづけていた。彼は麾下《きか》の猛将、熊井《くまい》久庫に命じて田川郡の岩石城を、父の宗全に大隈《おおくま》城を守らせ、自分は有名な古処山城に入って防衛戦線をしいた。

もちろん羽柴秀勝の率いる大軍の前に彼等は蟷螂《とうろう》の斧《おの》をあげたにすぎぬ。種実も九州勢の意地をみせるため戦ったのだが岩石城を失い、熊井久庫の戦死を知ると秘蔵の茶器、楢柴《ならしば》を秀吉に献上をして降《こう》を乞うた。

秋月種実が降伏すると九州各地の土豪、国人領主は相ついで来降した。松浦隆信、有馬、五島の各氏である。

秀吉は肥後の佐敷で兵船をくんで薩摩《さつま》の出水《いずみ》に入った。島津の本領に直接攻撃を開始したのである。

八代《やつしろ》から海に出て秀吉は天草諸島を眺めながら、

「この関白に刃向うとはげに怖《おそ》れを知らぬ不敵者よ」

と笑った。

「されど既に出水の島津忠永よりも降を乞うております」

と同船した小西行長が言上すると、

「それがよい。さもなくばその忠永一族の首が飛ぶところであった」

と機嫌《きげん》がよかった。

彼は行長に、

「九州を征伐のあとには弥九郎《やくろう》（行長）にこの肥後のいずれかの城を与えよう。弥九郎を九州に封ずるのはやがて兵船をそろえ、朝鮮に出陣させる心づもりからじゃ」

と冗談とも本気ともつかぬ口調で言った。

「そのお役目はこの九鬼嘉隆《くきよしたか》にお任じくだされませ」

と背後にいた九鬼水軍の総大将、九鬼嘉隆が言上すると、

「嘉隆はもとより大役がある。朝鮮の兵船に劣らぬ軍船をあまた支度致せ」

と答えた。そして、

「明を切り取りし暁には、余は日本を甥《おい》の秀次に任せ、明に都を移し参らせる所存よ」

と豪語した。

彼の眼中にはこれから攻め入る薩摩での戦などは毛頭ないようだった。海と白い雲を見ながら彼はその時、巨大な自分の版図を思い描いていた。

「余は何もいらぬ。この津久見の小さな小さな土地だけで生きるに事足りる」

とかつて九州六ヶ国の守護だった宗麟《そうりん》は影のように彼に寄りそっている妻の露や二人の娘たちにつぶやいた。

「臼杵とも山で遮《さえぎ》られ、丘に囲まれたこの津久見は心を乱すものはない。余のついの住み場所に相応《ふさわ》しい。神は余にささやかだが心安まるこの土地をくだされた」

彼の声は途切れ途切れだった。

臼杵から津久見に戻って、宗麟の衰弱が周りの眼に目だった。もともと蒲柳《ほりゅう》の体質だった老人はこの二年、次々と起った心労のために疲れきっていた。

頰《ほお》がこけ、眼がくぼんだ彼はそれなのに毎日の祈りやミサ出席は欠かさなかった。

「御案じなされますな」

と宗麟の本心がわからぬ近習が慰めるつもりで、

「薩摩勢は散り散りとなり、関白さまの大軍は薩摩に逃げ戻る島津勢を次々とうち破られております」

と報告したが、宗麟は無表情のままだった。

「噂《うわさ》によりますると関白殿下は日向《ひゅうが》の国は休庵（宗麟）のものと致し好きなるように住まわせよ、と仰《おお》せられたそうでございます」

「余は……もう何ひとついらぬ。ここ津久見の土地と教会《エクレシア》のみあらば、それでよい」

宗麟は、彼の屋敷のそばに建てられた聖堂で昨夜、フランシスコ・ラグーナ神父が読んでくれた聖書の一節を想起した。

「明日を思い煩《わずら》うなかれ。明日は明日思い煩えばよし」

「野の花をみよ。骨折ることも紡《つむ》ぐことも致さぬ」

あの時、聖句をききながら——紙燭《しそく》の炎が、ラグーナ神父のそばで細かな音をたててゆれていた——宗麟はふと巨大な大坂城を思いだした。そのほの暗い広間で自分を謁見《えつけん》した関白秀吉のことを思い出した。

（関白殿下は今も明日のことのみ、思い煩うておられるのであろう。骨折ること、紡ぐことのみ考えておられるのであろう）

彼には関白秀吉の心が手に取るようにわかる気がした。欲望は次の欲望を生み出す。高麗《こま》鼠《ねずみ》がまわす小さな独楽《こま》のように際限もなく続く、空《むな》しい努力。

（むかし、同じような迷いに捉《とら》えられたことがあった）

宗麟は現在の自分と関白秀吉の生きかたを対比した。あまりにも隔っている二人。秀吉にたいする羨望《せんぼう》の気持は毛ほども起きない。天下人になった秀吉、津久見のわびしい集落で遠い海鳴りの音をじっと聞いている自分。

「主《デウス》は悪《あ》しき人にも善き人にも陽《ひ》をのぼらせ、雨を降らせ給《たま》う」

その真実が、かすかだが人生の終りになって宗麟にはやっとわかった気がする。しかしその地点にたどりつくまで彼は何と大きな紆余《うよ》曲折を経ねばならなかったろう。

関白が薩摩川内《せんだい》に入ったという報をきくと島津義久《よしひさ》は日向国、野尻《のじり》にて秀吉の弟、秀長の本陣、義門寺《ぎもん》に降伏の意を伝えた。

五月八日、義久は髪を剃《そ》って墨染の衣をまとい、薩摩国、鶴田《つるだ》で秀吉の謁見をうけた。

秀吉は寛大だった。寛大の気持のなかには精悍《せいかん》な島津軍を朝鮮侵略作戦のため温存しておこうという計算もふくまれていた。

「剃髪《ていはつ》して竜伯《りゅうはく》と名を変えたか」

と本陣の泰平寺で秀吉は罪を謝す義久に笑いながら声をかけた。

「余に刃向うとは近頃、見あげた暴挙よ。本来ならば島津の一族、悉《ことごと》く誅殺《ちゅうさつ》せしむべきところ、中納言《ちゅうなごん》（秀長）と成政（佐々《さっさ》成政）の請《こ》いもあり、特に恩情をもって許すことに致した」

義久は手をついたまま顔をあげなかった。しかし彼の心には安堵《あんど》の気持と共に、「いつかは」という反抗の念も残っていた。

義久には薩摩一国、義弘には大隅《おおすみ》、日向の一部が与えられた。

五月十八日、秀吉は泰平寺を発《た》ち、筥崎《はこざき》の本営に向った。ここで九州征伐に功のあった諸将に賞を与えるためである。

尾張《おわり》の貧しい農家から身を起し、旅商人や乱破《らっぱ》の真似《まね》をした揚句、信長の下で苦労に苦労を重ねた過半生の思い出が胸中を走馬燈《そうまとう》のように通りすぎた。

（わが身のことなれど、ほめてやりたいぞ）

と彼は満足の笑いを噛《か》み殺しながら自分に言いきかせた。

(非力の身が武辺の世に身を投じて、よくも、天下人になれたものよ。たしかに運もあった。されど才と智慧《ちえ》なくば、到底、たどりつけぬことであった)

その時、ふと眼《ま》ぶたの裏に臼杵の大友宗麟のことがかすめた。

(あの坊主《ぼうず》は余と違《ちご》うて九州の名門に生れ、一時は六ヶ国の大守になった。だが切支丹《キリシタン》などにうつつをぬかし、豊後を除く国々を失うた。処世の智慧もなく、運にも恵まれなかった年寄りよ)

すると現実主義の秀吉には珍しく、彼にやや似て顎《あご》が細く、頬肉のない宗麟の顔に軽蔑《けいべつ》と共に憐《あわ》れみの情を感じた。

「休庵には日向の土地のうち、好むところを与える旨《むね》、伝えたか」

と彼は横にいる近習にたずねた。

「その儀、中納言秀長さまより御朱印状をもってお伝えの筈にございます」

秀吉は満足げに馬上でうなずいた。彼はあの権力も失った年寄りのためによい事をしてやったと思った。

中納言秀長は言うまでもなく秀吉の弟である。その秀長が秀吉の指図のもとに十四ヶ条からなる日向仕置書を豊後側に伝達してある。

そのなかに宗麟にたいして好意と憐憫《れんびん》にみちた箇条がある。日向は宗麟の隠居料として与えたので、日向の知行も宗麟の考え次第にせよ、居城も休庵の好む場所に作って差支えなし、と言うのである。

秀吉は宗麟がこの好意ある申し出を拒絶するなど夢にも思っていなかった。それを拒む宗麟の心情や人生観は彼のそれとはあまりに次元を異にしていた。


「気色よからぬゆえ、床に伏す」

と宗麟は津久見《つくみ》に駕籠《かご》で戻ってから寝たり起きたりだった。実は臼杵で既に微熱をだしていたのである。

それが突然、高熱に変った。高熱のためか彼の声はかすれ、言葉を出すのも苦しそうだった。

「パードレを……呼べ。パードレを」

と彼はしきりに枕頭《ちんとう》に侍《はべ》る露と二人の娘とに命じた。

「夜もふけております。パードレもお休みにござります。朝までお待ちなされませ」

と露が囁《ささや》くと、宗麟は素直に、

「わかった」

と答えるが、一刻《いっとき》もたつとまた魘《うな》されたように、

「パードレを」

とくりかえした。

夜が白み始め、館《やかた》の外の森で重苦しい闇《やみ》がうすらぎ小鳥の声が生きかえったようにひびいた。

露は水にぬらした布を宗麟の額におきかえながら、

「パードレが間もなく参られます」

と教えた。

医師《くすし》とフランシスコ・ラグーナ神父の忍ぶような足音が廊下をこちらに近よってきた。

「パードレ」

と宗麟はラグーナ神父に顔を向けたが、その声があまりにかすれていたので、

「パーレ」

としか聞えなかった。

医師は宗麟の口のなかを覗《のぞ》き、咽喉《のど》も舌も腫《は》れあがっているのを見て、

(疫病《えきびょう》!)

とすぐ気づいた。

それは同じ症状の病人をこの数日、廃墟《はいきょ》と化した臼杵の到るところで診たからである。いずれも咽喉や舌が腫れ、高熱を発して重態になっていた。

「パードレ、わが罪の……許しを……」

明瞭《めいりよう》でない発音で、とぎれとぎれに宗麟は哀願するように言った。

ラグーナ神父はそのあまりに苦しそうな声に、

「国主さまは今は何もおしゃべりになってはなりませぬ。お声が今少しお治りになられてから」

と励ました。神父はその時の情況を語っている。

「国王は舌がもつれて話すことが容易でなく、罪の告白もとても終りまでできそうにありませんでした。こうした困難があってほとんど口もきけませんでしたのに、主のおとりなしによって私が告白を聴きはじめますと国王は明瞭に、かつ痛悔の念を抱いて告解をなされました」

宗麟はこれが生涯《しようがい》最後の罪の告白になると決心していた。もう自分の命が消えなんとする燭台《しよくだい》の小さな炎のようだとも気づいていた。

彼は過去の思い出を恥を忍びながらラグーナ神父に語った。

「余は謀反《むほん》を企てた家臣を処刑した後、女を奪ったことが、ござる。余はその女の心細さ、みじめさを承知しながら、追いつめてわがものに致した」

服部右京亮《はつとりうきようのすけ》の女の顔を思い浮かべながら彼はラグーナ神父の横顔を見つめた。彼女が受ける屈辱や辛《つら》さを彼は百も知りながらその肉体を奪ったのである。

「女は火に包まれて死に申したが、火をつけたのは……」

そこまで言いかけて宗麟はかすれた声を途切らせた。眼ぶたの裏にはあの女の夕顔のように寂しそうな表情が浮かび、かつて交した会話の声も耳に聴えた。

「そなたには余を慕う気持はつゆだにあるまい、余と床を共にして、そなたは道具のごとく余の言いなりになった」

「それがお楽しみでござりますか」

「楽しみである。時折、余を見るそなたの眼《め》に、憎しみが燭台の炎のように光ることがある。そなたは、夫の服部右京亮やその一族を亡《ほろ》ぼした余に抱かれている。そして、その折のそなたの眼に走る、蛇《へび》のような恨みの炎が余の体をかりたてる」

「むごい。そこまで、このわたくしを……わたくしにはお家形《やかた》さまが如何《いか》なる方かわかりませぬ」

「余にさえも……この余が何者なのかわからぬ……」

会話のひとつ、ひとつがまるで昨日、交されたもののように宗麟の記憶の層から浮かびあがった。歳月の流れもその時の彼女の表情や声を薄めることはできなかった。「むごい」と絶叫したあの歪《ゆが》んだ顔。

それを真実ラグーナ神父がわかってくれるだろうか。「余にさえも……この余が何者かわからぬ」と言ったこの心情を神は理解し給うだろうか。

喘《あえ》ぎ喘ぎ、とぎれとぎれ、宗麟が行った告白をラグーナ神父は蒼白《そうはく》な顔をして聴いていた。終ったあと神父は静かに答えた。

「悔んでおられますか」

「一日として悔まぬ日はなかった」

「心の底より」

「心の底より」

「ならば御安心なされませ。神はお許しくだされます」

「余を罰することなくか」

「許しておられるのは神だけではございませぬ」

とラグーナ神父はふしぎなことを言った。

「今は神の御腕にあるその御女性《にょしょう》も、同じ気持でござりましょう」

「あの女がか」

宗麟が驚愕《きょうがく》して手を握りしめた。

「神のもとに還《かえ》りし者はみな愛の光に包まれます。その御女性も、国主さまを今は許しておられます」

宗麟の痩《や》せこけた頬に泪《なみだ》がゆっくりと流れおちた。あの苦しんだ女が、今、愛の光に包まれている。

「パードレ、亡《な》くなった矢乃もその愛の光に包まれるであろうか」

ラグーナ神父は、

「私一人の考えでございますが……そう、と思うております」

「余のかつての正室はあれほど切支丹を憎み呪《のろ》った女だが……」

「主イエスは自分を十字架にかけた者たちをも許すと申されました」


九州に足を踏み入れて以来、秀吉の知りたいと思ったひとつは、やがて行うべき朝鮮侵略作戦の現地検証だった。

彼は遠征軍の基地となし大本営をおくべき博多《はかた》の復興を小西行長と長束《なつか》正家とに命じた。彼の計画では戦乱から再建した博多には神谷《かみや》宗湛《そうたん》や島井宗室のような博多商人だけでなく堺《さかい》の富商たちも居住させ大陸貿易を開始させる事になっていた。

「南蛮船はいかほどの人数を乗せるか」

と秀吉は小西行長にたずねた。

「九鬼の軍船にくらべ、南蛮船がはるかに大きいか」

「いささか大きいと存じますが」

と行長は怪訝《けげん》な顔でたずねた。

「朝鮮まで軍勢を送るに南蛮船は役にたつか、それを知りたい」

行長は当惑したまま答えることができなかった。

彼は怖《おそ》るべき事態が日一日と迫りつつあるのを感じた。切支丹で堺の貿易商に生れた行長は才能を認められて秀吉の家臣となったが、少くとも農村出身の他の武将たちにくらべ、外の状況について智識を持っていた。

それだけに朝鮮に先導させ、中国大陸を攻めるという秀吉の計画がいかに無謀かを見ぬいていた。

「ただ、南蛮船は扱いがむつかしきものと聞き及んでおります」

と行長は消極的な返事をした。

「長崎に南蛮船は参っているか」

「平戸に一隻《せき》おる由《よし》にございますが」

「早馬にてその南蛮船を博多にまわさせよ。平戸のほかには別の船は見あたらぬか」

行長は当惑しつつ答えた。

「近く、かつて大坂城に伺候《しこう》いたしましたパードレ・コエリヨが、殿下に御引見頂くべくこの博多に船にて参ることになっております」

「コエリヨならば憶《おぼ》えておる。右近《うこん》（高山）やそちの父、隆佐《りゅうさ》の手引きにて大坂城に参った南蛮人か。あの折、余はその南蛮坊主に二隻の船を貸せと命じた筈《はず》である」

「いかにも」

「そうか。コエリヨが参るのか」

と秀吉は上機嫌《じょうきげん》でうなずいた。

利用できるものは何でも利用する。それは多くの戦国武将の処世法だったが、秀吉はそういう意味で最大の現実主義者だった。南蛮船はいつか利用できる、と彼は前から考えていた。信長と同様に秀吉は基督教《キリスト》の布教も認めたが、それは基督教そのものに好意を寄せたからではなく布教を許すことで得られる利益を知っていたからである。

切支丹武将の行長の要請もあって当時、大村領に滞在していた日本副管区長のコエリヨはフスタ船に乗り、博多湾までやってきた。復興する博多に教会を建てる許可をえるためである。

「南蛮寺を建てさせる御所存にございますか」

と秀吉に随行した本願寺光佐《こうさ》や一向宗の実力者、下間頼廉《しもつまらいれん》などが眉《まゆ》をひそめて不安げにたずねた。

「いまだ、何も決めてはおらぬ」

と秀吉は彼等の心配をむしろ楽しんでいる気配だった。

「南蛮船が博多に参ることは悦《よろこ》ばしゅうございますが……」

と下間頼廉は懸命に言った。

頼廉は石山の一向一揆《いっき》の折、信長にたいして七年の防戦をした顕如《けんにょ》光佐上人《しょうにん》に仕え、その後、秀吉から本願寺町奉行を命じられた坊官である。

「九州には神社仏閣を毀《こぼ》ち、仏像を倒すなど乱暴致す切支丹も多いと聞いております。仏門の者がそのため切支丹を憎むのは当然と存じまするが……」

本願寺光佐も口をそろえて、

「大友宗麟殿の御領内にたびたび謀反や反乱の起きましたのは、宗麟殿が切支丹に迷い、仏を信じる国人たちの不満をかったからにございます」

と同調した。

「そちたちは余の威光を宗麟などと同じに思うておるのか」

と秀吉は二人に皮肉を言ったが、もちろん彼等の主張には道理があることを知っていた。

それにもうひとつ、秀吉には気になることがあった。九州出陣前から彼の耳には南蛮人たちがルソンやマカオなどの土地を奪い、そこを貿易基地にしているという情報が入っていた。宣教師の切支丹布教もそういう奪った土地で盛んに行われているらしい。

秀吉はすべてを計量した上で、結論を出そうと考えていた。使えるものは多少の損失があっても使わねばならぬ——それが現実主義者の方針である。

「国主さま」

とラグーナ神父は平生と違ってあわてた足どりで病室の廊下を歩いてくると襖《ふすま》のかげから、

「国主さま、国主さま、悦ばしき知らせを聞きました」

と大声を出した。

病室にいた露や二人の娘が驚いて非難の眼《まな》ざしを神父にむけた。

「われらが友であるパードレ・ゴーメス神父より急報が参りました。お家形さま（大友義《よし》統《むね》）が、何と……」

と神父は感動のあまり息が切れたように言葉をのみこんでから、

「国東《くにさき》、妙見の城にてパードレ・ゴーメスより洗礼《バプテイスマ》をお受けになりました。使いの者によりますと数人の御重臣もそれに倣《なら》われたとの事でござります。明日、パードレ・ゴーメスは豊後に戻り、詳しいことお話し申しあげましょう」

二人の娘（洗礼名、マセンシアとレジイナ）が嗜《たしな》みも思わず忘れて手をあわせた。

実母の矢乃の命令で切支丹に反対をし続けた義統が受洗したというのは余りに意外な知らせだった。感情を抑えかねたのか宗麟の唇《くちびる》が震え、

「義統が……義統が」

とかすかに嫡男《ちゃくなん》の名を二度くりかえした。

詳細な事情が翌々日、津久見に姿をあらわしたゴーメス神父によってもたらされた。義統に洗礼を受けるよう奨《すす》めたのは九州遠征軍の軍奉行で切支丹武将の黒田孝高《よしたか》である。シメオンの霊名を持った彼はフロイスの「日本史」によると陣中でも各武将に信仰を語り、その何人かを実際、受洗させた。そして大友義統にも切支丹の話を語った。

「義統殿の御父上は熱心な信徒と承るが」

と彼は巧妙に話を運んだ。

「義統殿はまだ教えを耳にされたことはござらぬのか。お嫌《きら》いか」

義統は黒田孝高が切支丹であることを知っていたから、嫌いとも言えず、弁解するようなことを言った。そういう弱さを義統は父の宗麟から受けついでいた。

「決して嫌いではございませぬが、領内には仏を信じる家臣たちも多くおります。わが父もその動きを抑えかね……」

義統が言い終らぬうちに狡猾《こうかつ》な孝高はたたみかけるように、

「お嫌いではない？　ならば早速、教えをお聞きになられては如何《いかが》であろう。なに、仏門の国人や御家臣の儀はもはや御案じになるまでもない。九州は関白殿下の御威光の下にまとまった。豊後において義統殿に逆意を抱く者は関白殿下に乱を起すのと同じでござる」

孝高の能弁に押され義統は断わることもできかねた。彼は九州派遣軍の奉行である。黒田孝高の気分を損ねることが、いかに不得策かは知っていた。

(それに……あれほど切支丹嫌いの母上も亡くなられたゆえ……)

彼は母の矢乃を小さい時から怖れていた。

怖れていただけに亡母の心を見捨てて切支丹の教えを聴くことに後ろめたさを感じた。

しかし孝高への遠慮が、

「ごもっともで、ござる」

と彼に小さな声で言わせた。

黒田孝高はペドロ・ゴーメス神父を豊前《ぶぜん》の妙見城に招いて義統に引きあわせた。皮肉にも妙見城は矢乃の兄で反切支丹の先鋒《せんぽう》だった田原紹忍の城だった。

「なぜ早う、この教えに耳傾けなかったか、今となれば口惜しうござる」

と義統はゴーメス神父にも本心とも追従《ついしょう》ともつかぬ言葉を言っている。

しかし死の近い宗麟にとっては嫡男の受洗の報は大きな慰めだった。

彼はラグーナ神父が枕元《まくらもと》においてくれた聖母像に眼をやり、十字を切ろうとしたが、「その手を顔まで持ちあげることができぬ」(フロイス「日本史」)ほど衰弱していた。

にもかかわらず、心は至福な気持で充《み》たされた。

(義統が帰依《きえ》したことは神が余の罪業《ざいごう》を許し給うた証《あか》しである)

と思えたからである。

宗麟が神に魂を還す瞬間を一日、一日待っている間、筥崎八幡宮《はこざきはちまんぐう》においた本陣で秀吉は二つの重大問題をかかえていた。

「平戸におりまする南蛮船の船主モンテイロが博多には船を泊めることはできぬと申しております」

小西行長は汗を面ににじませるほど萎縮《いしゅく》して報告した。切支丹である彼は秀吉の耳にさまざまな南蛮宣教師への中傷が入っていることを知っていた。

だから彼としては秀吉の意に逆らうポルトガル船長モンテイロの回答は頭痛の種だった。

「できぬ？　余の命には従えぬと申しているのか」

「殿下の御威光は南蛮人もよく存じております。ただ博多の入江は遠浅ゆえ、南蛮船はとても入れぬのでござります」

「遠浅？　ならば博多には一隻の南蛮船も錨《いかり》をおろすことがかなわぬのか」

「申しわけなき事ながら、そのようにござります」

秀吉の顔がみるみる蒼白になり怒りが眉間《みけん》にあらわれた。彼としては博多を前進基地として朝鮮に侵略する気持だっただけに、行長の報告はあまりに衝撃的だったのである。

長い間、沈黙が続いた。怒りを抑えながら秀吉は対策を考えていた。

「南蛮の僧コエリヨは博多に参ったか」

「参っております。御謁見《えつけん》のお許しあるのを船にて待っております」

「船？」

「パードレ・コエリヨは小さな船を持っております。その船にて大村を発《た》ち、博多に参っております」

「呼べ」

と言いかけて秀吉は少し考え、

「いや、その船を見たい、と申し伝えよ」

と行長に命じた。

コエリヨ神父は行長の知らせを受けるとあわてて秀吉を迎える準備をした。船内を清掃し、饗応《きようおう》の支度を整え、予想される秀吉の質問への答えも暗記した。

高山右近たち随行を従えて秀吉が浜をわたり小舟に乗ってコエリヨたちが整然と立って迎えるフスタ船に登ってきたのは六月十九日である。

上機嫌で関白は二百トンのフスタ船を歩きまわった。そしてよく磨《みが》かれた砲に手をふれ、

「これにて、われらに戦を挑《いど》む気か」

と冗談のように訊《たず》ねた。コエリヨは恐縮して弁解した。

「いえいえこの砲は海賊に備えてでございます」

コエリヨ神父はポルトガル生れで元亀《げんき》元年（一五七〇年）に来日し、巡察師ヴァリニャーノ神父によって日本副管区長に任じられている。

彼が冗談のような秀吉の言葉に当惑したのは背後に鋭い皮肉が匿《かく》されていると思ったからである。

ポルトガルやスペイン、更にその二国に加わって英国やオランダがこの時代、東洋の諸国を侵略し、植民地化していることを秀吉は気づいている――今の関白の言葉でコエリヨ神父はそれを感じた。

「九鬼の兵船より小さい」

と秀吉は笑った。

「これではとても九鬼の水軍とは戦えぬ」

「この船は戦うためのものではございませぬ」

とコエリヨ神父はあわてて言った。

「身を守るためにござります」

秀吉はうす曇りの博多湾に眼《め》をやりながら別の事を考えていた。博多湾は遠浅で前進基地に使えぬのか。南蛮船も操海術が複雑で朝鮮出兵には利用できぬとすると南蛮船も南蛮人も何の役にもたたぬのだ。宣教師たちの布教を許すことは利よりも損をもたらすかもしれぬ。

それを秤《はかり》にかけて考えておかねばならぬ。

秀吉は随行してきた高山右近《うこん》に眼をやった。真面目《まじめ》そのものの右近はまるで背に重荷を負わされたように眼を伏せていた。彼は秀吉とコエリヨの質疑応答の背後に来るべき嵐《あらし》を予感しているかのようだった。

コエリヨ神父に葡萄酒《ぶどうしゅ》を振舞われ、顔を赤くした秀吉は外面は陽気と上機嫌を装いながらフスタ船から迎えの小舟に乗りうつった。

「博多にそちたちの寺を建てる儀については、後ほど家臣より答えさせよう」

と秀吉はコエリヨにうなずいてみせた。まるでその許可を既に与えたかのような口ぶりだった。

秀吉の小舟が着岸するのを見届けるとコエリヨ神父は安心して船室に戻った。十字を切り、神に感謝し、疲れをおぼえて椅子《いす》に身を横たえた。夜の食事さえ断り、そのままうたたねをしたのは秀吉との会話に余程、気を使ったせいだろう。

夜、突然、起された。日本人の修道士が彼の肩をゆさぶり、

「副管区長さま。お起きくださりませ。関白殿下のお使いが参っておられます」

「お使い？　どなたか」

「安威《あい》了佐さまと行長さまの御家来でございます」

コエリヨ神父は欠伸《あくび》をしながらうなずいた。安威了佐は熱心な切支丹であることを彼は知って いた。

「支度してすぐ参ります」

身づくろいを簡単にすませ、甲板に出ると秀吉の二人の使いは硬直した顔で立っていた。

「我らの舟にお乗り頂きたい、パードレ・コエリヨ。一大事でございます。関白さまは切支丹を禁制になされました」

棒で叩《たた》きのめされたようにコエリヨ神父はよろめいた。眼の前が真白だった。

小舟は櫂《かい》の音をたてながら浜についた。うち寄せる波の向うに松明《たいまつ》を持った男たち数人が闇《やみ》のなかを動いている。

「御諚《ごじよう》を申しあげる。みどもも切支丹なれど役儀なればお許しくだされ」

と安威了佐は秀吉の諚を読みあげた。

それは切支丹が九州の神社仏閣をこわし、長崎の一角に大村純忠《すみただ》より特権を持った土地を与えられた件を非難し、二十日以内に宣教師は国外退去をせよという内容だった。

「お気の毒でござる」

安威了佐は頭をさげた。

この日本最初の切支丹禁教令布告に一ヶ月ほど先だつ深夜、(フロイスの「日本史」によると西暦一五八七年六月二十八日、日曜日の真夜中すぎ)宗麟はこの世の旅を終えた。彼の顔は生前より安らぎを見せていた。

失ったもの

宗麟《そうりん》の臨終に立ちあった者。

露（霊名ジュリヤ）、五人の娘たち、次男、親家。

嫡男《ちゃくなん》の義統《よしむね》と三男の親盛とは戦線から復帰できず臨終に間にあわなかった。

朝がくるまで露が宗麟の遺体のそばにつきそった。ラグーナ神父はその死顔をみて、

「御生前より安らいでおられます」

と慰めてくれたが露は頬肉《ほおにく》の落ちたその顔に宗麟の長い人生の苦しみの痕《あと》が残っているような気がした。

彼女が宗麟の正室となってから、夫は二人だけの時、何度もこう語った。

「余は武辺の家に生れ、大友の統領にさせられた。だが思えば余は武将にむかなかった」

「いいえ、殿はおみごとに九州の守護をお勤めになられました」

「あれは」と宗麟はむしろ寂しげに首をふって「余を支えてくれた重臣たちの力であった。臼杵《うすき》鑑速《あきすみ》や立花道雪などがおらねば、大友の家は余の代で終ったやもしれぬ。その上、余は

武辺の身であることが一向に楽しくなかった」

「お家形《やかた》さまとしてお育ちにならねば、何になられましたか」

と露は半ば宗麟の言葉に同意しながら訊《たず》ねると、

「若き頃《ころ》は公卿《くぎょう》になりたしと思うた。詩歌管弦に明け暮れる堂上衆の一人であればとたびたび考えた。その後は僧院に入り、ひたすら仏の道を学び、血なまぐさき毎日から逃れたいと願《ねご》うた。だが、あのお方が……余の心を通りすぎ、目に見えぬ足跡を残して去って参られた」

「フランシスコ・ザビエルさまでございますか」

「さよう。なぜパードレ・ザビエルがかほどこの宗麟に忘れがたきお方になられたか……今もって解《げ》せぬ。あわれ貧しい南蛮僧に余がかほど思いを抱いたか、その理由《ことわり》もわからぬ」

なぜか、わからぬ、と言いながら宗麟は前から眼《め》にみえぬ大きな働きが彼とザビエルとを邂逅《かいこう》させたのだと考えていた。人が偶然とよぶもの——実はあれは我々を超えた何かの働きなのだ。でなければ、ザビエルは宗麟の人生にこれほどの深い痕跡《こんせき》を残す筈《はず》はなかった。

宗麟の死体は上質の白帷子《かたびら》と絹の袷《あわせ》に包まれ、檜《ひのき》で作った棺におさめられた。首には彼が特に愛用をしていた象牙《ぞうげ》の曝首《しゃれこうべ》のついたロザリオがかけられ、頭には神父たちが贈ったベンガラの白い頭巾《ずきん》をかぶせた。棺を白い十字架のついた黄金色《こがねいろ》の唐織物で覆《おお》った。

その棺は家の形をした棺槨《かんかく》におさめられ津久見《つくみ》の教会に運ばれた。あまたの信徒が露や宗麟の娘たちと通夜《つや》を行った。

葬儀の日の参列者は数えきれぬほどだった。三百本をこす蠟燭《ろうそく》に火がともされ、歌ミサが行われた。切支丹《キリシタン》の葬式としては最も荘厳《そうごん》で威厳のあるものである。

埋葬の場所は居館の庭である。教会から十字架や旗や提燈《ちょうちん》の行列が続き、そのうしろに棺槨を運ぶ男たちが続いた。棺槨の周りには宗麟の子、親家や重臣の志賀道輝が歩いた。司祭や修道士は聖歌を歌いながら従った。最後に露と娘たちのうなだれた姿があった。

女たちの泣声のなかで棺は地中に入れられた。後にそこには礼拝堂《カペラ》が建てられたという。

残念ながらこの埋葬の場所は決定的にはよくわかっていない。私は三度ほど津久見に出かけたが、連れていかれる場所は中田ミウチの山かげにある墓だが必ずしも史家たちによって確認された場所ではなかった。

いずれにせよ、大友宗麟は津久見の狭隘《きょうあい》な土地で五十八歳の生涯《しょうがい》を終えた。かつて九州六ヶ国の守護だった者はもう世俗的な野望や野心などすべて捨てて、ひそかに静かに死んだ。

眼にみえぬ大きな力は宗麟を苛酷《かこく》な試練から免《まぬが》れさせた。試練とは先にも書いた秀吉《ひでよし》の抜きうち的な切支丹禁教令である。

禁教令は天正《てんしょう》十五年六月十九日に布告された。宗麟死去の日は明確ではないが同じ年の五月下旬（旧暦）である。わずか一ヶ月の差で宗麟は彼の信仰と人生とを強制的に歪《ゆが》められる危険をまぬがれたのである。

もし、彼が一ヶ月生き続けて関白の禁教令を受けていたならば、どうしただろう。どういう態度をとっただろう。私はこの小説の準備をしながら、屢々《しばしば》、それを思った。

四十代の彼だったならば（つまり日向《ひゅうが》出陣以前の彼ならば）一も二もなくこの権力者の命令に屈していたであろう。

だがそれ以後の彼だったならば、どうだろう。大友家の家門と僅《わず》かに残った豊後《ぶんご》一国を放棄しても信仰を守り続けただろうか。

九州筥崎《はこざき》の本陣でこの命令は宣教師コエリヨのみならず、九州作戦に従事した切支丹武将たちにも伝達された。

布告により二百町（二千貫以上）をこえた知行地を持つ者は「秀吉を選ぶか、切支丹の神を選ぶか」の岐路に立たされた。

切支丹武将で宗麟の嫡男、義統を改宗させたあの熱心な信者、黒田孝高《よしたか》や蒲生《がもう》氏郷《うじさと》までが棄教した。

続いて堺《さかい》出身の小西行長もそれに倣《なら》った。

一人だけ敢然と秀吉の命令に背いて、信仰を守るために明石《あかし》の領土、領民を返上し、僅かな家臣と舟で逃亡した武将がいる。高山右近《うこん》である。

「右近殿は（秀吉の）使者をかえした後……大刀小刀を捨てて関白の前へ出頭し、かねてからかかる事態に備えて考えていた口上をのべ、基督教《キリスト》についての所信をのべようとした。しかし家臣やその場に居合わせた友人たちは彼を引きとめ、激怒した関白に殺されるであろうと阻止された。それは右近殿にとっては有益でも、他の切支丹を益々苦しめることになると反対された」（ブレネスティーノ「ローマ、イエズス会文書」）


　豊後も大混乱に陥った。流言は流言をよび、次々と根拠のない噂《うわさ》が拡《ひろ》がった。

「関白さまはパードレたちを磔刑《たっけい》になさる」

「教会《エクレシア》を焼き、十字架《クルス》を切り倒すよう御指図なされた」

「切支丹を棄《す》てぬ切支丹も伴天連《バテレン》たちと共にマカオに追いやられる」

　そのような情報のなかで大友義統は三ヶ月前、あれほど熱烈な切支丹改宗と信仰態度を見せていたにもかかわらず、少しずつその態度を曖昧《あいまい》にしはじめた。

「余の本心は切支丹だが関白さまが棄教を数名の武将に命じられておられる。その御真意を大坂に伺候《しこう》した折、うかがって参りたい。やがて関白さまの御心が解ければ余はパードレやイルマンたちが今までのごとく豊後に住めるように計らいたい。ただそれまでは豊後から立ち去るよう願いたい」

言葉は鄭重《ていちょう》だったが、それは神父たちの退去を命ずる内容だった。ラグーナ神父たちは仕方なく平戸にむかって去っていった。彼等の頼みにするのは岡城の志賀親次《ちかつぐ》だけだった。大友一族の一人で島津勢の侵略にたいして敵の大軍二万をみごと撃退したあの青年である。

彼の信仰は強く、義統によって平戸に追われようとした神父のなかから二人を彼の領内に潜伏させた。

「困ったものでございます」

と義統の耳に蔭口《かげぐち》を囁《ささや》いたのは宗麟の前正室、矢乃の兄、田原紹忍だった。切支丹嫌《ぎら》いの彼は秀吉の禁教令以後、宗麟の死によって大友家中で勢力を復活させていた。

「志賀親次殿は相もかわらず邪宗に狂っておられる。切支丹を奉ずることは関白殿下に背くこと。かようなことが大坂の耳に入れば、大友家の存亡に関《かか》わりますぞ」

弱気の義統は「大友家の存亡に関わる」という言葉に動揺した。

「親次をどのように扱えばよいか」

「間もなく祇園《ぎおん》祭が府内ではじまります。親次殿を祭にお誘いなされ。そこで自害せしめては如何《いかが》でござりましょう」

田原紹忍は歯のぬけた口でこの暗殺計画を教えた。かつて若き宗麟に健康的な笑顔をみせた青年武将の面影《おもかげ》はもうこの男になかった。策略と処世術とがこの男の相貌《そうぼう》を年とともに老《ろう》猾《かい》そのものに変えていた。

「親次を殺すのか」

義統はさすがに声を大きくした。

「お静かに。なにごとも大友家のためにございます、お父上ならばそうなされましたろう」

と紹忍は嗄《しゃが》れ声で言った。

岡城で義統の命を受けた親次はその真意を見ぬいた。彼は先に義統から切支丹棄教を日本の神仏に誓う誓詞をさし出すよう命令を受けたが、これを巧妙に拒否したことがあったからだ。義統が機会をつかまえて親次の知行地を没収しようとしている噂も耳に入っていた。だから府内で祭が催された時、志賀親次は身を守るためおびただしい警固の家臣を率いて姿をあらわした。圧倒された義統は計画を思いとどまった。

義統は秀吉の本意を聞くため大坂に向った。親次のことを報告し、自分の懸命な努力を秀吉に認めてもらおうという下心もあった。

謁見《えっけん》を受けたのは大坂城ではなく秀吉が都に新しく建てた聚楽第《じゅらくだい》である。

「義統は邪宗を奉じているか。汝《そち》の父はその信心のゆえ領内の家臣たちの謀反《むほん》を次々と招いた。義統も父と同じであるか」

と秀吉は不機嫌《ふきげん》にたずねた。

義統は巨大な大坂城や贅《ぜい》をつくした聚楽第の大広間と居並ぶ重臣たちの前で圧倒され、両

手をついたまま、

「御指図に従い、既に切支丹は棄ててございます」

と額に汗をうかべて答えた。

「それはよい」

と秀吉は側近に向い、

「義統は父よりも己《おのれ》を知っておるようじゃな」

と皮肉とも賛辞ともつかぬ言葉を洩《も》らした。それから、

「わが耳には、汝《そち》と志賀親次の間に争いがあると入っておる。まことか」

と急にたずねた。

「それは……親次が殿下の御指図に従わず切支丹を奉じつづけておるからでございます。この義統はたびたび志賀親次を戒めましたが」

そして少し図にのって彼は次の言葉を口に出してしまった。

「如何《いか》なる手だてをとりましても、殿下の御指図に伏さぬ場合は志賀親次を誅殺《ちゅうさつ》致します」

その途端、秀吉の顔にありありと怒りの色が走った。

「愚か者めが。親次に汝《そち》ごときが勝てると思うてか」

親次が島津戦でみせた武勇を秀吉は知っていたし、一方、義統の戦下手は嫌《いや》というほど耳にしていた。今の彼に必要なのは九州でつまらぬ騒乱を起さぬことだった。それは朝鮮の作

戦準備に大きな支障を与えるからだ。

「汝《そち》は父の宗麟にくらべはるかに劣る者よ」

と秀吉は先ほどの言葉を訂正してはっきり言った。

「休庵（宗麟）も切支丹の水などかけられ、決して智慧《ちえ》ありしとは申せぬが汝《そち》はそれにもまして才覚ひとつなき男」

平伏したまま義統は震えた。彼は今日のためにわざわざ小さな仏像を胸にぶらさげて現れたのだが、秀吉はそれを黙殺したのみならず、義統を侮《あなど》る言葉を口にした。

秀吉は生理的にも義統が好きになれなかったらしい。豊前《ぶぜん》の大名に任じた黒田孝高たちからも義統がとても「器量者とは思えませぬ」という情報をえていたし、宗麟にたいする憐憫《れんびん》から豊後領主にすえおいたものの、実際、会ってみると一眼で「役たたず」と見ぬいたからだった。

聚楽第の最初の謁見では秀吉は義統を冷遇はしたが、数日後に茶会を催した時は、態度をがらりと変えた。

秀吉には豊後勢を朝鮮に出陣させるためにはやはり大友家の血の持ち主を懐柔する必要があったからである。占領後まもない九州に大動員令を出せば国人、土豪たちの不満が一挙に起るかもしれぬ。大友義統の頭はやはりなでておかねばならない。

秀吉は感情を抑えて自慢の茶室に義統を招き、

「いつまで都にとどまるか」

とたずねて、同座した千利休が、

「四月《やよい》までの由《よし》にございます」

と代って答えると、

「それはよい。ならば義統を帝《みかど》の御行幸《みゆき》の折、侍従の一人に加えよ」

と命じた。

秀吉は木の香も新しい聚楽第に後陽成《ごようぜい》天皇を奉迎することになっていたのである。

先日の謁見で失態を演じた義統は手のひらを返したような関白の言葉に思わず、

「は」

と咽喉《のど》をつまらせて答えた。

茶事が終ったあと、利休は秀吉の退出を待って義統に、

「我らにとっても意外な御沙汰《ごさた》でござりましたぞ。四月十四日、帝の御行列に供奉《ぐぶ》致す方々は織田《おだ》信雄さまや徳川家康《いえやす》さまなど選びに選ばれた大名のみなれば、義統さまには殿下も格別の思召《おぼしめし》がおありだったのでありましょう」

とわざわざ教えた。

義統は体が震えるほど感激した。彼はなぜ秀吉の態度が豹変《ひょうへん》したか、その本心を見ぬくにはあまりに単純すぎた。坊ちゃん育ちの彼は利休の老獪な言葉をそのまま信じた。

義統は秀吉の奏請で昇殿を許された。帝の供奉をする資格をこれで得たのである。参内して太刀、白銀を献上した義統は従五位下に叙せられている。

「都は居心地がよい」

と義統は連れてきた家臣に、

「四月に戻るのはやめ、秋まで逗留《とうりゅう》したい。父もかなわなかった御所参内を許されたのは大友家にとり末代までの光栄である」

と自慢をした。

後陽成天皇の御行幸に供奉し、都の滞在を延し、利休のような秀吉側近とも親しくなると、義統は少しずつ秀吉の切支丹弾圧が危惧《きぐ》していたほどのものではないのを知った。秀吉の宗教政策が変化したのである。

現実主義者である秀吉は切支丹弾圧が南蛮貿易の衰退につながることを知ると、少しずつ建前《たてまえ》と本音とを使いわけるようになった。

建前では切支丹は禁制である。しかし事実では彼は宣教師が日本に潜伏し布教を再開していることも、家臣たちや侍女たちのなかに受洗する者もいることも見て見ぬふりをしはじめた。

行幸が終ったあと、聚楽第に伺候した義統は更に破格な驚くべき言葉を秀吉から受けた。

「義統には羽柴《はしば》、豊臣《とよとみ》の名を与えようぞ。また義統をわが秀吉の吉の一字を取り、吉統《よしむね》と名のる儀も許そう」

豊臣の名を許すことはある意味で一族の一人として扱うことを意味する。汗を額に滲《にじ》ませながら義統は平伏し、

「忝《かたじけな》き極みに……極みにござります」

と言った。その時も彼の心中には父の宗麟の顔がうかび、父は九州六ヶ国の守護職を与えられたが、自分はそれ以上の名誉を授ったのだと思った。

「よいか、吉統」

と秀吉はこの時、つけ加えた。

「豊臣の姓を与えるからには、汝《そち》は豊後をよう治めるのみならず、毛ほども周りの国々にも謀反など起させてはならぬ。ひたすら豊家のためと心がけよ」

秀吉の意図はどこまで大友家を朝鮮作戦に利用するかである。

吉統は愚物だと思う。愚物だが、しかし大友家がいまだに九州きっての名門であることを秀吉は承知していたのである。秀吉が豊臣の姓を与えたのは吉統個人ではなく、大友という血すじにたいしてだった。それによって卑賤《ひせん》な自分の生れに箔《はく》をつけるためだった。

関白から与えられた名誉に身を震わせた吉統は秀吉の命を何よりも大事とするのが自分の

義務と考えた。

彼が最初にせねばならぬことは関白の切支丹禁教令を領国のなかできびしく実行することだった。秀吉自身が南蛮貿易を存続させるために宣教師の潜伏を黙認しているとは都で聞いたが、しかし同じことを豊後で許すのは豊臣の名を与えられた以上、吉統にはできなかった。

「豊後には一人の切支丹パードレもおいてはならぬと余は命じておいたが、それは行われているであろうな」

と帰国するやすぐ吉統は家臣にたずねた。家臣は当惑げに沈黙した。吉統は声をあらげ、

「如何致した」

「御留守中、我らは御指図通り致そうと試みましたが、清田様御内室さまはじめ切支丹の御妹君さまたち、とりわけ志賀親次さまたちの強き御意向もござりまして、すべてのパードレを追い出すことはできかねました」

「志賀親次が」

吉統は大友同紋衆の一人、志賀親次に嫉妬《しっと》と憎しみを前から抱いていたが、今、油を注がれた火のように燃えあがった。

志賀親次が島津勢侵入の折に岡城に拠《よ》って勇猛果敢に戦ったことは、戸次川原で仙石秀久《せんごくひでひさ》、長宗我部元親《ちょうそかべもとちか》に唆《そその》かされて無惨《むざん》な大敗を喫した吉統には嫉妬の種だった。

しかもその件につき都の聚楽第で秀吉に叱責《しっせき》を受けた吉統には留守中の親次の行為が、

（思いあがれる振舞よ）

としか考えられなかった。

とはいえ、吉統には兵を起して志賀親次を誅殺する勇気がない。志賀一族や親次にたいする南部衆の人気を考えると、内戦を長びかせて秀吉の勘気にふれるのが怖《おそろ》しかったのである。

二人の睨《にら》みあいがしばらく続いた。吉統は潜伏司祭を腕ずくで退去させ、無力な農民や職人の切支丹信徒を次々と処刑させはしたが、親次に手を出すことはできなかった。

親次も吉統を刺激するのを避けて自邸のそばに建てた十字架をそっと取り去っている。そのために一部の信徒は「親次殿は教えを棄《す》てられた」と噂《うわさ》したほどだが、彼は決して切支丹を放棄したわけではなかった。

吉統は親次を陥《おとしい》れることを計画した。

「それには」

と老獪な田原紹忍が吉統の相談をうけて、

「明年三月、塩法師丸さま（吉統の嫡子《ちゃくし》、義乗）が聚楽第に参られます折、志賀殿を供に加えられませ」

「供にか。ほう」

「さすれば関白さまはその折、親次殿に必ず切支丹を棄てるように命ぜられましょう。親次殿の御返答によっては関白さまのお怒りをかうことも大いにありえます」

吉統は伯父にあたるこの老人の顔を見て、

「ほう」

梟《ふくろう》のような嘆声を洩らした。晩年の父は紹忍を嫌悪《けんお》する傾向があったが、吉統にとってはこの一言はしたたかな智慧のように思われた。

塩法師丸という嫡男の幼名はかつて宗麟の幼名でもあった。その同じ名をもらった嫡男が聚楽第に行くのは秀吉の人質にするためでもある。その供に親次を加えることは彼を当分、都に足どめにすることで、それだけ吉統にとってはやりやすくなるのだ。

天正《てんしょう》十七年、塩法師丸は志賀親次と田原紹忍を供にして府内を出発、都に向った。田原紹忍が随員になったのは吉統のかわりに志賀親次を監視する役も担《にな》っていたのだろう。

だが聚楽第の謁見の広間に入ろうとした時、案内役の利休が、その順番を教えて、

「先頭はもとより塩法師丸さま。次に志賀親次殿、続いて田原紹忍殿……」

と最年長者田原紹忍よりも志賀親次を先に歩かせた。蒼白《そうはく》となった紹忍が、

「畏《おそ》れながらみどもは供衆のなかにて最も年寄りにござりますが」

と利休に抗議すると、利休は、

「すべて殿下の御指図によるものなれば」

とやんわりと拒絶した。

のみならず、一同の面前で秀吉は志賀親次の岡城における奮戦を賞《ほ》め、他の者には一言も口もきかない。

この差別は淀《よど》城での昼餐会《ちゅうさんかい》でも同じだった。秀吉と同じ部屋に招かれたのは塩法師丸と志賀親次だけで、

「他の方々は別室にてお待ちあれ」

利休はこの時も何事もないように指示し、田原紹忍の面目はまったく無視された。

計画がまったく齟齬《そご》したことを知らされた吉統は打ちのめされたように蒼《あお》くなった。

「このままにてはお家形さまの御威信にもかかわりまする」

と田原紹忍は屈辱を嚙《か》みしめて言った。


一五九〇年、六月。

巡察師のヴァリニャーノ神父は天正少年使節と共にマカオから長崎に向いつつあった。

彼は息ぐるしいように狭い船室のなかでマカオの友人たちに鵞《が》ペンを走らせながら、日本における対策をねっていた。

出発前と八年半後の今とでは日本における状勢はまったく違っていた。日本の最高権力者

は切支丹禁教令を布告し、かつて宣教師たちのよき保護者だった大友宗麟も大村純忠も既にこの世にいなかった。

のみならず、日本副管区長のコエリヨたちはヴァリニャーノ神父が怯《おび》えるような日本軍事占領の無謀な計画をたて——幸いにもそれはヴァリニャーノ神父の断乎《だんこ》たる反対によって挫《ざ》折《せつ》したが——そのため日本人に警戒心を起させたにちがいなかった。

ただひとつの希望は秀吉が禁教令を出したものの、彼の望む南蛮貿易が宣教師の仲介なしには行われないのを知って、それ以上、烈《はげ》しい弾圧を手控えたことだった。

そのお蔭《かげ》で二十四人の宣教師たちは国外退去をまぬがれ、九州の下《しも》（西部地方）に潜伏していることをヴァリニャーノ神父は知っていた。

東支那《しな》海の波に帆柱は軋《きし》み、船は上下したが、少年使節たちは既に海に馴《な》れていた。のみならず、かつては少年だった彼等も今や逞《たくま》しい青年に変ろうとしていた。

「よいか、私は」

食事の時、日本の事情を説明した後、神父は改めて念を押した。

「宣教師としてではなく、印度副王の使節として日本に赴いていることを忘れぬように」

「承知しております」

と伊東マンショが皆を代表して強くうなずいた。

「それでなければ、関白殿への謁見《えっけん》はできぬであろう」

とヴァリニャーノ神父はつぶやいた。

長崎に近づくにつれ、少年たちは甲板から眼《め》を赫《かがや》かせ遠い山々を見つめた。苦難にみちた長旅。危険や病気で命さえ失うかもしれなかった日々。彼等が目撃したあまりに多くの国々。そして一日として忘れられなかった故郷。

その日本に今、やっと帰れたのだ。ローマ法王の謁見を受けたという誇りが使節たちの胸をふくらませていた。

と同時に千々石《ちぢわ》ミゲルのように基督教にたいして疑惑をひそかに抱いている者がいた。彼はポルトガルやスペインが東洋の国々を植民地にしている光景を眼《ま》のあたりに見て、この疑惑にかられはじめたのである。基督教がこの侵略に反対するのではなく、それに乗じて布教を拡《ひろ》げていることを知ったからでもある。

七月二十一日、彼等の船が長崎湾に入ると大波戸にはあまたの日本人たちが出迎えに並んでいた。

まず大村の新領主、大村喜前《よしあき》が重臣たちをつれて千々石ミゲルを迎えていた。島原の有馬晴信も船にのって翌日、あらわれた。

迫害を予期していたのに、それとは違う日本人の歓迎ぶりに千々石ミゲルは興奮のあまり発熱したくらいだった。それでも彼は人々に彼が目撃したことを語りつづけた。

「切支丹は関白さまの御指図により禁制となったと聞きましたが、この模様をみて安堵《あんど》致しました」

と大村喜前に洩《も》らした。しかし喜前は、

「たしかに今は関白さまは見て見ぬふりをされている。だが用心に越したことはない」

と首をふった。

ヴァリニャーノ神父も同感だった。慎重な外交官でもある彼は自分たちが余りに歓迎されればそれが関白の耳に入り、衝動的な怒りをかうかもしれぬと思った。

「控えめに、控えめに」

彼は帰国後、潜伏している外人宣教師や日本人修道士を島原半島、加津佐《かづさ》に召集して会議を開いた時も、全員に細心の注意を払うように指示した。

しかし同時に彼は印度副王の名代として関白秀吉に謁見を乞《こ》わねばならなかった。秀吉の許しは遅延したが、それは彼が小田原征伐のため、都から離れていたからだった。

それでもヴァリニャーノ神父は畿内《きない》にのぼって謁見の指定を待つことにした。

十一月上旬、一行は二つにわかれ、ヴァリニャーノ神父は播州《ばんしゅう》室津に赴き、そこで秀吉の沙汰《さた》を受けるため滞在した。

神父はこの室津で、山口の毛利輝元《てるもと》をはじめ、各諸侯の来訪を受けた。諸大名も関白への年賀の挨拶《あいさつ》でやはり室津に寄ったからである。

「大友吉統さまもお目にかかりたい、と申されております」

と供に加わった切支丹信者からそう聞かされたヴァリニャーノ神父は白けた顔をして首をふった。

神父は吉統が父の宗麟とちがい、棄教したのみならず、領内の切支丹を迫害していることを知っていた。彼が面会を避けたのも無理からぬことだった。

拒絶された吉統はひそかに使節の一人、伊東マンショに神父との面会を懇願した。

「マンショ殿は日向《ひゅうが》の伊東家の血つづきと聞く。大友家は伊東家とは縁あさからぬ仲なれば」

と使いにきた吉統の家臣はひたすらその点だけを強調した。しかし実際にはマンショは伊東氏の外縁の子にすぎず、しかも彼の渡欧は大友宗麟のあずかり知らぬ場所でヴァリニャーノ神父が勝手に決めたのである。

「如何《いかが》致しましょうか」

困《こう》じ果てたマンショに相談をうけてヴァリニャーノ神父は吉統と面会することにした。ばつ悪げに吉統は神父の前にあらわれ、無事帰国を祝う口上をのべるばかりで、肝心の領内での切支丹迫害の話題を避けようとした。弱い彼の性格がそうさせたのである。

「切支丹になられた奥方はお元気でございますか」

事情を承知でヴァリニャーノ神父は皮肉を言った。吉統の妻は夫から棄教を強制され、痩《や》せ衰えた揚句、離婚された。吉統は秀吉の命で施薬院法印の養女と再婚したのである。

「それは……」

吉統は口ごもりながら手を震わせた。彼は深酒のため手の震える癖があった。

「みどもの……」

と彼はヴァリニャーノ神父に神妙な声で言った。

「みどものことは、聞き及びでござろうが、すべて本意ではござらぬ。関白殿下の御沙汰にやむをえず従ったまでゆえ、お察しくだされ」

豊後《ぶんご》の臆病者《おくびようもの》

文禄《ぶんろく》元年（一五九二年）。

府内は人馬に溢《あふ》れ喧騒《けんそう》にみちていた。北から南から動員令を受けて、さまざまな部隊が集結していたからである。

大友屋敷の門前は夜になっても篝火《かがりび》と松明《たいまつ》の火の粉が飛び、警護の兵の並ぶなかに武将が次々と屋敷内に消えていった。

「支度の戦奉行、永富鎮並《しげなみ》にござる」

「田原親盛ただ今、着到」

永富鎮並のそばで役人が兵数と指揮者の名を書いていく。

府内で上申をすませ、武将たちは一夜をわり当ての宿舎で送ると翌日は休息の暇もなく西の名護屋に向う。

名護屋は秀吉《ひでよし》の大本営である。朝鮮をへて中国侵略を企図した彼の命令で九州、西国の各軍団は続々とここに集結しつつあった。

大友家も軍役が指示された。兵の数は六千。軍船は八十二隻《せき》、兵糧米《ひようろう》は千石、それに名護屋城を築くため家臣の中島統之にあまたの百姓たちをつれさせている。豊後一国しか持たぬ大友吉統《よしむね》にはこの軍役、公役は重い負担だった。

だが――

大友二千の軍兵が唐津から名護屋に到着した時、彼等は思わず、

「おお」

と驚愕《きようがく》の声をあげた。

白波の逆まく海に面して今まで見たことのないほどの巨大な城廓《じようかく》が幾つも立ち並び、更にその石垣《いしがき》や堀《ほり》を築くために蟻《あり》のように無数の男女が働いていたからだ。

(これが太閤《たいこう》殿下の御威光なるか)

彼等は丘陵の一角にたたずみ、息をのんでこの光景を凝視した。眼下の呼子《よぶこ》湾もそれぞれ家紋の旗をたてた兵船で埋めつくされていた。

(この殿下の御威光の前には唐、天竺《てんじく》の国々もひれ伏すであろう)

と吉統は震えるような気持で思い、それを諸将たちに語った。同紋衆たちは一様にうなずいたが、彼等は本心では見知らぬ異国に出征する不安と自分たちの知行地の荒廃とが気になって仕方なかった。

吉統は宿舎に入ると重臣を連れて秀吉のいる山里丸に伺候《しこう》した。秀吉は大坂城や聚楽第《じゆらくだい》に

おける毎日と同じように、ここでも側室淀君《よどぎみ》や侍女たちに囲まれて能の稽古《けいこ》や茶事に余念がなかった。彼は動員令によって各大名がどれほどの無理を強《し》いられたか、諸国の百姓たちが軍費捻出《ねんしゅつ》のために喘《あえ》いでいることも眼中にないようだった。

「参ったか。参ったか」

と対面を許した秀吉は平伏している吉統に上機嫌《じょうきげん》で言った。

「吉統は黒田長政のもとにて動くがよい。先陣の小西行長や宗義智《そうよしとし》は三月がうちにも高麗《こうらい》に攻め入るが、吉統も順風を見届けて出来る限り早う渡海致せ」

同じようにそばで平伏していた岡城主の志賀親次《ちかつぐ》はひたすら恐れ入っている吉統とは別の気持だった。

（この戦、意外と長引くのではないのか）

彼は田原紹忍と共に都に赴いて秀吉の歓待を受けた時、朝鮮侵入作戦にたいする諸侯の反応をそれとなく探った。

その結果――

口にこそ出して言わね、この侵入作戦を「迷惑千万」と考えている大小名がかなり存在している気配に彼は気がついた。

戦いにつぐ戦いに疲れきった諸侯は豊臣《とよとみ》秀吉を天下人と定めたからには当分の間、領国の平和と内政充実を計りたい気持だったのに、更に見知らぬ異国に出陣する――それにたいして不安と不満を抱いていた。

更に内偵《ないてい》していくと――

堺《さかい》を中心とした商人や海外に比較的、通じている小西行長のような武将の間では、

(この戦、あまりに無謀すぎる)

という声がひそかに拡《ひろ》がっていることもわかった。

(殿下は明国の広大さもその兵《みえ》の力も御存知ない。御存知なく出兵なさるは如何《いかが》なものであろうか)

そうした不満派や反対派も勿論《もちろん》、表だって秀吉に諫言《かんげん》する勇気がない。

若い頃《ころ》とちがって人の意見に耳傾けぬようになった秀吉は次第に横暴な独裁者に変っていった。特に兄を助けた羽柴《はしば》秀長が死んだあとは、彼に忠告する者は側近に存在しなくなり、千利休のような実力者でさえこの侵略にそれとなく不満を洩《も》らしたために死を賜ったほどである。

志賀親次は漠然《ばくぜん》とではあるが、そうした事情を都で感じて、

(これは一大事である)

と思ったが、大友家の家臣にすぎぬ彼一人ではどうにも処理できる問題ではなかった。

(この上は……)

と彼はひそかに思った。

(大友家や豊後のために、できるだけ犠牲《ついえ》を少く致さねば……)

それ以外に親次のできることはなかった。

先陣を命じられた小西行長は諸将のなかで最も朝鮮や明の事情に通じている武将である。もともと、この男は武辺者ではない。堺の商人の家に生れ育ち、しかも幼い頃に切支丹《キリシタン》の洗礼を受けさせられた。

のみならず彼の家は薬種の輸入もやっていた。当時の薬のうち高貴薬といえば朝鮮人参《にんじん》であり、そのため朝鮮人たちから向うの事情も聴く機会が多かった。それだけに彼は最初から、

(この戦は長期にわたれば必ず敗れる)

という確信があって、それを婿《むこ》である対馬《つしま》の宗義智や親友の石田三成《みつなり》などだけにひそかに洩らしていた形跡がある。

苦慮の結果——

切支丹武将の多い第一軍団の軍団長となった彼は先陣の利を利用して秀吉には内密のまま和平交渉に入るという大胆な行為を計画した。

朝鮮軍には日本軍のような武装がない。特に鉄砲で装備されていない。

商人あがりで、加藤清正のように根っからの軍人ではない彼も緒戦においては朝鮮軍を叩《たた》

ける と思った。

一応は叩いた後、漢城（現在のソウル）に赴き朝鮮国王とただちに和平交渉に入る、それ以外にこの戦を早期に終結させる手段はない。早期に終結させねば明というあまりに巨大な国を敵に廻《まわ》すことになる。

それが小西行長の思いついた工作だった。もちろん、和平交渉は秀吉には内密裡《り》に行う心づもりである。この秘密計画が外に洩れぬようにするため、彼は婿の宗義智とごく一部の者にしか、うち明けなかった。

三月上旬、七百余隻の軍船に乗った第一軍団は対馬の大浦湾に集結、その一ヶ月後の四月十二日、釜山《ふざん》にむかって渡海した。

朝鮮側では海を覆《おお》った日本軍の兵船に驚き、釜山城にたてこもって烈《はげ》しく抵抗した。日本軍一万八千にたいし、朝鮮側はわずか兵六百、城のまわりには深い濠《ほり》が掘られ、鉄刺がはりめぐらされていたが、日本兵は濠に板をかけてこれを渡り、城塞《じょうさい》に侵入した。城内には三百あまりの人家があったが、女たちは鍋釜《なべかま》の墨を顔にぬり、泣きながら日本兵に投降した。子供たちもわざと足を曳《ひ》きずり、狂気を装って難を逃れようとしたが、いずれも捕えられた。

行長は十四日、釜山城に近い東萊城《とうらいじょう》を攻めている。ここでは二万の兵が烈しく抵抗し、雨のような矢を日本軍に浴びせ、戦は二時間にわたっている。だが矢と銃とでは結局、勝負にはならない。城将の宋象賢《そうしょうけん》は戦死、五千人の戦死者を出して東萊城は陥落した。

緒戦の日本軍快進撃を聞いて、名護屋城の秀吉は大満悦だった。行長の第一軍団に続いて加藤清正の率いる第二軍団と黒田長政の第三軍団とに出陣を命じた。

大友吉統の豊後勢も白で杏葉《ぎようよう》をそめぬいた軍旗をひるがえし、第三軍団の支柱となって壱《い》岐《き》、対馬を経て釜山に上陸した。

釜山は既に第一軍団が攻略したあとで、釜山城には行長軍の一部の兵が残留部隊として残るのみだった。焼かれた民家のくすぶりがまだあちこちから臭《にお》ってきた。

「あの者たちはな、鉄砲ひとつ持っておらぬ、あわれにも矢で防ぐのみよ」

そういう話が伝わると上陸日本軍はこの戦に自信を持った。事実、先陣の行長は梁山《りようざん》城(十六日)、密陽城(十七日)、大邱《たいきゆう》城(二十日)を陥《おと》して文字通り破竹の進撃を続けている。

「このぶんにては」

と何事もすぐ単純に割りきる吉統は弟の田原親家や親盛たちに言った。

「戦も今年のうちに片付き、われらも豊後にて正月を送れるやもしれぬ」

すると、それを聴いていた麾下《きか》の武将たちは出陣以来はじめて嬉《うれ》しそうに笑った。

彼等はこの出陣のためさまざまな無理をその知行地で行わねばならなかった。軍費をとりたてられる農民たちの不満を抑えるために不納者から妻子を人質にとっている。

人質といえば吉統自身も妻を秀吉のいる名護屋城にさし出している。出陣中の領内謀反《むほん》を怖《おそ》れて家督を嫡男《ちやくなん》の義乗にゆずり、臼杵鑑理、宗像鎮統、志賀道輝たちをその補佐役として残してきたほどだ。

そういう状況から彼も麾下の将兵も一日も早く日本に帰国したいだけに、戦が早く片づくという希望的な観測は彼等を狂喜させた。

だが——

朝鮮側は最初の呆然《ぼうぜん》自失からようやく立ちなおりつつあった。朝鮮国王の側近たちは議論百出したが、結局は抗戦論が主流をしめていた。

彼等の抵抗作戦は民衆を蜂起《ほうき》させ、各地でゲリラ作戦を行い、点しか占領していない日本軍の兵站《へいたん》線を断ち切り、来るべき冬を待つことだった。

報告によれば日本軍は冬期にそなえてほとんど準備をしていないようである。彼等は朝鮮の寒気を知らないのだ。

冬を待つこと、そして厳冬の北部に彼等を誘いこむこと。朝鮮側の作戦はそれだった。だから彼等は表面的な敗北にもかかわらず、なお勝利の希望を捨てなかった。

小西行長は城をひとつ、ひとつ陥すたびに朝鮮側に捕虜を使って盛んに講和を申し込んだ。しかし朝鮮側はまったくこれを黙殺して北方へ北方へと日本軍を誘いこんだ。

やむなく——というより朝鮮側の巧みな罠《わな》に小西行長はひっかかった。彼の第一軍団は巡辺使、李鎰《りいつ》の守る尚州城を攻略、更に忠州に進撃している。

第二軍団の加藤清正軍も東道を北上して彦陽《げんよう》城や慶州を陥落させると同じく忠州に向った。

行長としては主導権を清正にゆずることはできなかった。それは忠州城をどちらが先に陥落させ、武功をたてるかという単純な問題ではなかった。行長にとっては、もし作戦のリーダーシップを主戦派の清正にとられれば、ひそかに計画してきた和平工作が無に帰する怖れがあったからである。

忠州は前面に鳥嶺《ちょうれい》、竹嶺の天険がある。この天険をこえて忠州を占領すればあとは一気に首都、漢城までおりられる。朝鮮軍もそれを承知して三道都巡察使となった申砬《しんりゅう》将軍が八千の兵を集めて防衛線を張った。

宣教師フロイスによると日本軍では小西軍の先鋒《せんぽう》隊長、小西作《さく》右衛《え》門《もん》と清正軍との間に先陣について激しい口論があったと伝えている。

すさまじい戦が始まった。小西軍は清正軍の先手をうって、騎兵を中心とする朝鮮軍に烈しい銃火をあびせた。槍《やり》と矢しかない朝鮮軍は漢江に追いつめられ、総司令官、申砬将軍は溺死《できし》、部下将兵も三千の戦死者、溺死者を出して敗北している。

小西行長と第一軍団はただちに漢城に迫った。行長はそこで朝鮮国王、宣祖と和平交渉に入るつもりだった。

だが五月三日に彼が見たものは、炎上する王宮と乱民の掠奪《りゃくだつ》放火によって燃えあがる漢城の廃墟《はいきょ》にすぎなかった。朝鮮王は四月二十九日の早朝、雨をついて西大門から西に逃れていたのである。

上陸以後、わずか二十日で漢城を陥落させた報告を聞くと太閤《たいこう》秀吉は狂喜し、母の大政所《おおまんどころ》や妻の北政所《きたのまんどころ》や養子の秀次に書状を送って、九月の節句は明国の都で迎えるとか天皇を北京《ペキン》に送り日本は羽柴秀保《ひでやす》（秀次の弟）に任せるなどという具体案まで示している。

だが廃墟と化した漢城には加藤清正の第二軍団をはじめ、大友吉統の加わる黒田長政の第三軍団などが次々と入城してきた。

各軍団長はこの漢城で今後の対策を協議したが、小西行長と加藤清正の対立から談合は長く続いた。結論はなかなか出ない。

清正はあくまで秀吉の意向通り大陸まで進攻することを主張し、行長は不足しはじめた兵糧や馬糧の確保を楯《たて》にとって、朝鮮軍としばし休戦することを言い張った。そしておそらく朝鮮国王がそこに逃れるに違いない平安道の進駐を自分に任せて欲しいと訴えている。

談合が終って陣屋に戻った第三軍団長、黒田長政はさすがに行長の心中を見ぬいていた。

「加藤主計頭《かずえのかみ》は勝ちのみを急いでおられる。だが、我らには兵糧乏しく、しかも来るべきこの国の冬の備えができておらぬ」

と彼は大友吉統に語った。

「さてさてこの国は手広きこと、日本より広く存ずる。我らが人数にてはなかなか国治めは人が有まじく」

長政は日本軍の弱点——個々の点は占領しても点と点との広大な空間は依然として敵の手

中にあることを案じていたのである。

吉統は長政から漢城北方の鳳山《ほうざん》を占領することを任せられていたが、長政の話を聞いているうち速戦即決の悦《よろこ》びが失《う》せるのを感じた。

特に小西行長の訴えた兵糧《ひょうろう》、馬糧の不足は豊後勢もひしひしと感じはじめていた。

兵糧は現地調達になってはいたが、朝鮮の農民たちは日本軍を兵糧攻めにするため田畠を見捨てて村から山中に逃げている。したがって日本軍はこの頃からそろそろ兵糧の不足という危機に面しはじめた。

そして冬の備えについても現地に来てはじめてその実態を知ったという準備不足だった。日本の将兵たちは朝鮮の酷寒について情報を持たず、凍傷にかかる危険も考慮していなかった。

更に――

五月下旬から思いもしなかった出来事が起った。全羅《ぜんら》左道水使の李舜臣《りしゅんしん》が率いる朝鮮水軍は泗川《しせん》、唐浦《とうほ》、唐項浦などの海域で日本兵船を破り、七月七日、見乃梁《けんだいりょう》で両海軍は総力をあげて決戦を行った。九鬼水軍、脇坂《わきさか》水軍は李舜臣の装甲船と大砲を活用する戦力と巧妙な作戦に大敗を受けた。「閑山島沖の戦」と世に言われる海上の敗戦で日本軍は制海権を失い、以後、名護屋からの兵糧輸送のままならぬ状態になった。

それでもまだ寒気の訪れぬ季節はよかった。漢城に待機していた各軍団の主力部隊はそれぞれの分担地域をきめて北進を開始した。六月十四日、小西行長の第一軍団は黒田長政、大友吉統の第三軍団をえて、轡《くつわ》を並べて平壌《へいじょう》に向った。

大同江の浅瀬を渡って入城した平壌は漢城と同じように空虚だった。行長が和平交渉のために探し求めている朝鮮国王、宣祖は四日前、ここを見捨てて寧辺に去っていた。

朝鮮側は冬将軍の到来を待っていた。兵糧不足の日本軍を寒波きびしい北の奥地に引きこむと同時に朝鮮は彼等を保護国としている中国にたいして必死に救援を求めた。寧辺にたどりついた国王、宣祖は、皇太子の光海君に国事を権摂させ、自分は遼東《りょうとう》に入って直接援兵を乞《こ》う決心をした。

この必死の要請に応じ、遂《つい》に明も国境近くにいる祖承訓の軍隊を南下させる方針をきめた。朝鮮軍騎兵四千をまじえた明軍は義州をへて南下し、七月十六日、突然、平壌を包囲した。行長も黒田長政もこの明軍の来襲をまったく予想もしていなかった。

当夜は雨と風とで日本軍の歩哨《ほしょう》も敵影にまったく気がつかず、朝方、その喚声にあわてふためいた（「吉野日記」）。日本軍は鉄砲を乱射し、城内に突入した敵を苦戦の末、どうにか撃退したものの、行長の弟は戦死している。

（明が援軍を送ってくる）

これは予想外のことだったので、行長はじめ諸将は狼狽《ろうばい》した。明の軍勢が国境から怒濤《どとう》のように侵入してくれば、分散した日本軍では兵力においてとても太刀打ちできない。折から渡海を中止した秀吉に代って石田三成、増田《ました》長盛、大谷吉継《よしつぐ》の三奉行が漢城に到着した。

三成は既にこの戦の無謀を知っていたが現地に来て、その気持を更に強くしたらしい。彼等の報告によって秀吉の命令は変更され、明国への侵入は春まで延期され、ゲリラに備えるため八里ないし十里ごとに砦《とりで》を築き、防備を厳重にすることになった。

この時、軍略にたけた黒田長政は、

「我らはすべて漢城まで退き、全軍団一致して明の大軍にあたるべきと存ずる」

と進言したが、行長はこれに猛反対をした。理由は漢城に撤退することは和平工作を進めるために不利だと考えたからである。

ながながと朝鮮侵入作戦の状況をのべたのはこうした背景を考慮せずに、大友吉統《よしむね》の逃亡の記述ができぬからである。

(明軍が押し寄せてきた)

この噂《うわさ》は黒田長政の率いる第三軍団にも拡《ひろ》がった。彼等の一部は平壌での白兵戦に参加し、明軍の喚声と殺されても殺されても押し寄せる人海戦術を目のあたりにして言いしれぬ恐怖を感じた者も少くなかったからである。

(明の軍勢は朝鮮とはちがう、あれは怖しゅう手強《てごわ》い)

ちょうど昭和二十五年の朝鮮戦争で米国軍が北朝鮮軍を国境近くまで追いつめた時、怒濤のような中国軍の総攻撃にあい、退却せざるをえなかった時と状況はまったく同じだった。

「摂津守《せっつのかみ》殿(行長のこと)は平壌を守りつづけるべし、と申し、石田殿も同意されたが、これは戦の駆け引きで愚策中の愚策でござる」

と帰陣した黒田長政は麾下にいる大友吉統に溜息《ためいき》をついた。

「兵をすべて集めねば明の大軍が押し寄せたる時は、我らにはなす方法《すべ》はない。矢は三本では折ることはできぬが一本では折れると毛利元就《もとなり》公も申されたとか」

諸将の間には小西行長が堺《さかい》の商人あがりで戦下手という評判がたっていた。彼が加藤清正と共に佐々《さっさ》成政の遺領である肥後を分割して宇土城主になった時、天草列島の国人たちが反乱を起した。

その反乱を鎮《しず》めるのに行長は手こずり、最後には隣国、隈本《くまもと》の加藤清正の力を借りねばならなかった。清正は行長が支配に難渋した天草の国人たちをまたたく間に鎮圧した。

「摂津守殿は兵法を知らぬ」

この時も黒田長政は蔑《さげす》むようにそう言った。

夏が終り秋が駆け足できた。頑固《がんこ》に平壌駐屯を主張した行長は冬将軍を前にして、必死で和平工作を進め、朝鮮国王との接触を求めた。その結果、沈惟敬《しんいけい》という男を仲介者として行長は溺《おぼ》れる者が藁《わら》をもつかむ心理で解決策を見つけようとしたのである。

詳述するのは避けるが、この交渉の相手となった沈惟敬という人物が信頼できる人物だったかどうかは後世になってみると疑わしい点が多々ある。

というのは行長が彼と談合を開始し、その結果五十日の休戦まで約束した時、ひそかに明《みん》軍四万三千が鴨緑江《おうりょくこう》をわたり南下しており、それを沈惟敬は知りつつ行長に語らなかったからである。

矢と弓しか持たなかった朝鮮軍にくらべ、明の大軍は火箭《ひや》や投石砲や大砲さえ準備していた。その大軍を率いる司令官は朝鮮人を祖先に持つ猛将、李如松《りじょしょう》だった。

既に季節は寒気烈しい十二月になっていた。そして正月がきた。

正月（文禄《ぶんろく》二年）、李如松の率いる朝鮮、明の大軍は平壌の西郊外に到着した。

行長は平壌から少し離れた牡丹台《ぼたんだい》の砦にいたが、野も山も埋めつくした敵の大軍を見て驚愕《きょうがく》、急遽《きゅうきょ》、平壌を守る宗義智《そうよしとし》軍に合流した。

彼は初めて沈惟敬にあざむかれたのを知ったのである。

五日と六日とは小ぜり合い、本格的な連合軍の総攻撃は七日早朝から始まった。

四万三千の敵軍にたいして日本軍は一万五千。

七日の午前八時頃《ごろ》、前進を開始した連合軍は「多数の射石砲による威嚇《いかく》射撃」（フロイス）を行ったのち、太鼓、楽器を鳴らして平壌城に迫った。一方、日本軍は「陴上《ひじよう》にて、多く五色の旗幟《きし》をはり、長槍、太刀を束ね」（「宣祖実録」）待ちかまえていた。

連合軍はまず大砲と火箭の攻撃をあびせた。

「その響き、万雷の如《ごと》く、山岳、震揺す。火箭を乱放し、烟焰《えんえん》、数十里にみなぎり、咫尺《しせき》分たず、ただ吶喊《とつかん》の声、砲響に雑《まじ》わるを聞く」という有様だった。

連合軍は含毬門と普通門から侵入しはじめた。梯子《はしご》を城壁にかけてよじのぼってくる。日本軍は鉄砲を乱射し、熱湯と石とを城壁に迫る敵軍に落し、一時、これを撃退したものの退却させるには到《いた》らなかった。明軍は鋼鉄製の鎧《よろい》で武装し、日本兵の刀や槍では損傷をあまり受けなかったとフロイスは書いている。

やがて外城を陥《おとしい》れて内城に侵入した連合軍は蜂《はち》の巣のように作られた土塁の銃眼から発砲してくる銃弾に多くの死傷者を出したが、猛攻につぐ猛攻を続けた。

はじめは相手を「いつもの手並み」と侮《あなど》っていた日本軍はやがて精根つきはじめた。特に打撃だったのは城塞《じようさい》の外にあった飯米倉が焼き払われたことである。

行長は麾下《きか》の将を集めた。

「かくなる上は」

と彼は唇《くちびる》を噛《か》んで言った。

「退却の他はあるまい」

　宗義智をはじめ、第一軍団の武将のなかで反対する者は一人もいなかった。彼等も明軍のすさまじい戦闘力に圧倒されたのである。

　まず手負いの者、病者が棄《す》てられた。

「あわれながら、致し方なし」

　彼等は眼《め》をつむって夜を待って平壌の一角から退却を開始した。

　周囲はすべて皚々《がいがい》たる雪原である。兵たちは兵糧として一日分を携帯するのみだった。

「食べる草一本も見つけられず、雪を口にしながら飢えをしのいだ」

　とフロイスは書いている。

　敗走する兵は凍傷に手足をはらし、武将たちも山田のかかしのように痩《や》せ衰えていたと「吉野日記」は伝えている。ただ幸いなのは李如松軍が追跡してこなかったことだ。彼等も多くの死傷者を出していたからである。

「鳳山《ほうざん》に向え」

　行長はそう命令をくだした。

「鳳山には大友吉統殿の援兵が待っているぞ」

　だが「力なくして刀もつかれ、親を討たるる人もあり、兄を討たるる者もあり」と「吉野日記」に書かれているように彼等はゲリラの攻撃も受けている。

鳳山は平壌より十四里の地点にあり、大友軍がここに砦を築いて守備していた。行長たちはその鳳山に向ったのである。

行長は正月五日、明と朝鮮の連合軍が平壌を囲んだ時、黒田長政、小早川秀包《ひでかね》、大友吉統たち平壌附近を守っている日本軍に至急の援軍をたのんだが、彼等に拒まれたようである。長政にとっては全軍の漢城集結という彼の進言を無視して平壌に深入りした小西行長に今更、何を言うかという気持があったのだろう。

大友吉統はこの請《こい》を受けると第三軍団長の長政の意見を聴きにいった。

不運はその時から始まった。

吉統不在の鳳山城に大友軍の出城を守備していた志賀親次《ちかつぐ》が急遽、報告に戻ってきた。

「小西摂津守殿の軍勢は散々にうち負かされ、小西殿も討死なされた模様、敵の数は五万を越えるとの話」

この話を耳にした大友勢は浮き足だった。敵が五万を越えるとすれば、六千の兵力しかない大友軍はとても太刀打ちできぬ。

「一刻も早う、黒田長政の軍に合体致さねばならぬ」

志賀親次の報告に留守を守る吉弘統幸《よしひろむねゆき》や田原親家たちは砦の死守を主張したが、志賀親次はこれに反対した。かつて岡城にたてこもり島津軍の猛攻を幾度も防いだ彼が今度は砦を見捨てることを言いはったのは、鳳山城が岡城のように天然の要害でないため明の大軍のすさまじさに僅《わず》か六千の兵ではとても抵抗できぬことを考えたからだろう。

「犬死を致して何の益やある」

結論がきまらぬうち砦の兵士たちがパニックに襲われた。明軍とはまだ一戦もまじえぬだけにその戦力が誇大に伝わった。更に彼等は飢えと寒さとで戦意を失っていた。

何人かが逃亡するとあとはもう誰も制止をきかぬ状態になった。彼等は争って黒田長政のいる竜泉城に向った。

大友軍が退却したあとの鳳山にたどりついた小西行長はあまりに惨《みじ》めな姿をしていた。武将として身につけていた具足も捨て「具足下ひとつの体《てい》」だったのである。

日本軍の人影のない鳳山に行長は激怒した。というより今度の敗戦のすべての理由は援軍も送らず、しかも防備線を捨てて勝手に退却した大友吉統たちの責任にあると考えたのである。

小西軍団はここで明軍の追撃を受けながら黒田長政の竜泉城に退却してやっと一息をつくことができた。

手負いの者は数知れなかった。更に栄養失調のため全員、頬《ほお》がこけ、鳥眼の兵があまりに多かったという。

行長から報告を受けた秀吉は吉統に激怒した。

しかし考えてみればすべての責任は吉統だけにあるのではない。行長の乞いを退けて援軍を送らなかったのは黒田長政も小早川秀包も同罪である。いや、むしろ、長政の「全軍漢城に集結して」明軍にあたる策を拒み、単独で平壌にとどまった行長自身にあると言うべきだろう。

にもかかわらずフロイスの記述によると、「太閤《たいこう》は平壌敗北の報に接し、行長に何の怒りも示さなかったばかりか、寡兵《かへい》よく三日も強大な敵をもちこたえ、最後には全軍を整然と退却せしめたと言い、大いに賞賛した」という。

おそらくそれは朝鮮に戦況視察にきた石田三成《みつなり》、増田《ました》長盛、大谷吉継《よしつぐ》の三奉行が行長に好意ある報告をしたためであろう。彼等もまた行長と同じように一日も早くこの無意味な侵略作戦に終止符をうちたいと願っていたからである。

日本軍は三奉行の指図により明軍に対抗するため漢城に集結した。撤収後の日本軍も意見がわかれ、小早川隆景《たかかげ》を軍団長とする第六軍団はあくまで明との抗戦を主張し、正月二十六日、ようやく漢城に迫った明軍をこの第六軍団が徹底的にうち破った。有名な碧蹄館《へきていかん》の戦がそれである。

二千の死傷者を出したものの日本軍はようやく沈滞した態勢を挽回《ばんかい》した。敗北した明軍は日本軍の強さを知り、戦意を失い、停戦の気運を持ちはじめ、ここで休戦が何となく始まった。

交渉には曲折はあったが、ここでは詳しく書かない。

ただこの和平状態のなかで秀吉は突然、「大友勘当」の朱印状を出した。五月一日のこの書状は「豊後の臆病者《おくびょうもの》に申し聞かすべし」という言葉から始まり、吉統はただひとつ大友家の手に残っていた豊後を没収された。

父と子

「大友勘当の朱印状」は秀吉の主人だった織田《おだ》信長が老臣、佐久間《さくま》信盛親子に書いた詰問状《きつもんじよう》を連想させる。

石山本願寺にたてこもった一向一揆《いっき》と一応の和睦《わぼく》をしたあと信長は目覚しい働きを見せなかったという理由で織田家の老将、佐久間信盛を高野山に追放した。

その折の詰問状は都から石山に淀《よど》川をくだる船上で信長自身がしたためたという。

内容はひとつ、ひとつ、信盛の懈怠《けたい》や武勇のなさをあげて列記したものであるが、秀吉の「大友勘当の朱印状」も大友吉統《よしむね》の卑怯《ひきよう》さだけでなく、島津攻略の折の失敗まで遡《さかのぼ》ってその非を責めている。

信長が佐久間信盛を追放したのは家臣団を新陳代謝するのが本当の目的だった。古い重臣を整理し、自分の独裁を強化し、新しい家来の働きを活潑《かっぱつ》化せしめるためである。

同じように――

秀吉が吉統から豊後《ぶんご》を没収したのも、平壌《へいじょう》における敗戦の原因を罰するのが本来の目的ではなかった。

太閤は豊後を取りあげることで、朝鮮戦役で費した莫大《ばくだい》な戦費を幾分でも埋めたかったのである。四十二万石の豊後を分割して旧功の家臣たちにわかち与えた後も彼の手には二十万石に近い直轄地《ちょっかつち》が入る。

吉統は罰せられたが、彼と同じように行長軍に援兵を送らなかった黒田長政や小早川秀包《ひでかね》は処罰を受けていない。

はっきり言えば秀吉は都で吉統をはじめて引見した時から、この男を好いていなかった。吉統の父、宗麟《そうりん》には秀吉は好感を抱いた。大坂城では尋常ならぬ歓待を宗麟に与えている。宗麟の顔には秀吉をしても同情や好意をひき起させる苦渋なものがあったからだろう。その頃の宗麟には俗世から離れた切支丹《キリシタン》信仰による謙遜《けんそん》が顔にもにじみでていて、通俗的、現世的な秀吉さえ感心させられたのかもしれぬ。

一方では切支丹などに没入した宗麟を軽蔑《けいべつ》しながら他方では大友家を存続させるほかには野望のない宗麟に秀吉は好意を抱いたのだろう。

だが吉統のほうは秀吉に好かれなかった。甘やかされて我儘《わがまま》に育った小器量の者として眼にうつった。のみならず、島津攻めにおける失態が嫌悪《けんお》感を更にそそった。

「豊後の愚か者」

以来、吉統を見る時、秀吉はそういう感じで眺《なが》め、更に平壌における失敗を耳にした時、

「豊後の臆病者」

というイメージが附加された。

「大友勘当の朱印状」を読みあげられた吉統は眼前が真白になるのを感じた。甘ったれた彼は小西行長軍を助けなかったのは黒田長政、小早川秀包も同じだから、おのれ一人にかほどの苛酷《かこく》な処分が言いわたされるとは夢にも思っていなかった。

平伏したまま彼はしばし頭をあげえず、

(わが大友家が先祖代々の豊後を失う。まことか)

その衝撃で吉統は秀吉の命じた他の指図も耳に入らなかった。

「吉統の豊後に戻るは許さず、身柄《みがら》は毛利輝元《てるもと》に預け、供は四人、五人に限るべし。豊後は山口玄蕃允《げんばのじょう》と宮部継潤《けいじゅん》に検地をなさしむること」

吉統はそれらの言葉の重ささえよくわからぬほど茫然《ぼうぜん》としていた。家臣は百人から三百人ほどの単位で生駒《いこま》家、黒田家、蜂須賀《はちすか》家、立花家への仕官が許されたが彼等も豊後において先祖伝来の知行地を没収される点では主人の吉統と同じだった。

五月——

吉統は戦線から離脱させられ、毛利輝元さしまわしの船に乗せられた。嫡男《ちゃくなん》の義乗は特に

許され、加藤清正の部隊に五百人分の扶持《ふち》をつけて止められている。

船中、万一の事があってはならぬので吉統を監視するために毛利家の警固の武士たちがたえず鋭い視線をこちらに向けている。

わずか五人の供のみをつれた吉統はさすがに眼を落さざるをえなかった。

なぜなら、彼がこれから幽閉されねばならない毛利家は大友家が代々、宿敵として戦ってきた相手である。

特に父、宗麟の代においては毛利輝元の祖父、毛利元就《もとなり》はしばしば豊前《ぶぜん》や筑前《ちくぜん》の土豪たちを煽動《せんどう》して反乱を起させたり、大友軍と鉾《ほこ》を交えている。その旧敵、毛利の監視のもとで自分はこれから毎日を送らねばならぬ。

（先君《父のこと》がこれを聞かれたらどのように、思われるであろう。母者はいかほどお怒りになるであろう）

彼はその恥ずかしさを毛利家の侍たちにさとられぬよう、周りにいる五人の供にたえず話しかけた。

「豊後は如何《いか》になっているであろう」

「留守役の田原紹忍さまはどのように太閤《たいこう》さまにお許しを乞《こ》うたかわかりませぬが」

と側近の一人が蔑《さげす》んだように言った。

「三千石の扶持をあてがわれ、中川秀成さまに身柄を預けられた由《よし》にございます」

「おそらく、御自分が戦陣におれば、かような失態など致させなかったなどと名護屋宛《あて》に釈明なされたのでございましょう」

狡猾《こうかつ》な田原紹忍をその側近は憎んでいるかのようだった。

「豊後は細かく分けて諸侯に与えられたという噂《うわさ》はまことであろうか」

「はい、いずれも太閤さま直々の御近侍衆の御領地となるとか。早川長敏殿が府内を、福原直高殿が臼杵《うすき》六万石を」

と別の側近が懐中から紙をとり出して小声で読みあげた。彼はその話を毛利の家来から聞いて紙に書いておいたのである。

府内や臼杵――

大友家にとっては誰もが離れられぬと信じきっていた本拠地。代々の大友館があり、父の宗麟も半生を過した土地。

それが今は見も知らぬ他人の所領地になってしまった。

眼をしばたたいて吉統は黒い海を見た。柱を軋《きし》ませながら上下する船の音、吉統たちを侮《ぶ》蔑《べつ》したように盗み見る毛利の従者たち。

「留守役の身がか」

屈辱と苦しみの数日をへて吉統たちは山口に入った。

かつて彼にとって叔父にあたる晴英《はるふさ》が一時は支配したこともある山口である。あの頃《ころ》の大友家のまぶしいまでの栄光を老臣たちから聴かされていた吉統は唇《くちびる》をかんで幽閉される本国寺に入った。

「主人、いまだ在陣中にござれば」

と毛利家の家臣が配所にきて挨拶《あいさつ》をしたが、吉統にはその相手の唇のあたりにうす笑いが浮かんでいるような気がしてならなかった。

その毛利家の家臣がしきりに、

「御父、宗麟殿が御在世の折は」

と口に出すのも皮肉に感じられた。

(父上がそんなにお偉かったか)

思いかえしてみると吉統の知っている父の宗麟は切支丹宗に没入したため家臣団の不平不満をひき起してばかりいた。自分と同じように神経質で母を怖《おそ》れていた父が、それなのになぜ六ヶ国の大守でありえたのか、吉統にはまったく解《げ》せないのだ。

(あれは……よき御家来たちに恵まれたお蔭《かげ》じゃ)

父はたしかによき家臣に恵まれていた。臼杵鑑速《あきすみ》や戸次《べっき》鑑連《あきつら》や吉弘《よしひろ》鑑理《あきなお》のような三老が万事をみごとに仕切ったからこそ父はただ禅宗の坐禅《ざぜん》を組み切支丹僧の教えを聞いておればよかったのだ。

(余には運がない。よき家臣も周りにおらなかった)

すべてを自分以外のものの責任にする吉統はこの時も父と自分とを比べて、わが身は人材に恵まれず、不運だったと歎《なげ》いた。

だが吉統が山口の本国寺に幽閉されたと聞くと離散した大友家の旧家臣たちが藁《わら》にでもすがる思いで十人、二十人と集ってきた。旧知行地を失い、住む家すらない彼等には凡庸な吉統ではなく、大友家という家名に頼るより生きる手段《てだて》がないのだった。

柴田鎮利、城後《じょうご》統久、竹田津高栄たちが次々と本国寺にやってきた。

吉統が秀吉に恭順の意を示すため、当時の習慣に従って剃髪《ていはつ》して名を中庵《ちゅうあん》と称すると、竹田津鎮満も頭をそった。

七月――

大坂城に人質になっていた夫人が秀吉の許しをえて山口に移った。こうして四百年も豊後を中心に九州各国に勢威を張った大友家中は身をかためて寒風の去るのを待つ小さな雀《すずめ》のように身を寄せあったのである。

主家を失った豊後の府内や臼杵の混乱した模様をフロイスは次のように記述している。

「人々は関白の命をうけて国を接収にきた将兵が戸口に現われるように思い、脇《わき》の下に運べるだけの物を素早く集め、わが家を出るのが精一杯だった。

それまで大勢の者にかしずかれ敬われてもいた婦人たちは今やいずこに行き、いずこに救いを求めてよいかも判《わか》らず……街路で出会う時はただ涙だけがその身の不運を示す言葉となっていた。ある者は泣き叫ぶ幼児を抱いており、他の婦人たちは小さな子供にしがみつかれ、召使いか親戚《しんせき》の者たちと徒歩で逃げた」

そのフロイスによれば宗麟の未亡人と娘のコインタ（志賀宗頓の妻）とはごく少数の家来に伴われ「この折でなければ敵にちがいない」毛利の国に向ったという。

フロイスは彼女の行き先を書いていないが、それは当然、山口、本国寺の吉統のもとだったろう。

本国寺にはこうして続々と大友家有縁の男女が集ってきた。宗麟未亡人やその娘だけでなく吉統が妬《ねた》んでいた志賀親次《ちかつぐ》の若い妻もそれにまじり、その数は百十数人だったと言われている。

岡城でかつて島津勢と奮戦はしたが朝鮮の鳳山《ほうざん》城では大友勢退却を主張した責任者の志賀親次が吉統のように罰せられなかったのは奇怪である。

のみならず「大友志賀系図」によれば、親次は一時は浪人をしたが文禄《ぶんろく》の末、「太閤に奉仕し豊後日田郡大井庄千石余領知」とある。

それを裏づけるかのようにフロイスも志賀親次が山口にいる妻マグダレナを毛利の地からつれ戻した事ものべている。

いずれにせよ、山口、本国寺に謹慎する吉統の周りに集った百十数人の旧臣や縁故の女性たちはふたたび大友家が再興する機会をじっと待っていた。

その機会とは「太閤の死」である。

太閤の死を待っているのは大友家残党だけではなかった。

朝鮮出陣のため疲れきった日本軍の大多数は飢えとゲリラとに悩まされながら、ひたすら帰国を待望していたが、もちろんそれを口に出すことは許されなかった。頼みとするのは小西行長の秘密和平工作が成就《じょうじゅ》することだけである。

それだけに老齢の秀吉に死が訪れることを日本中の多くの者がひそかに望んでいた。


文禄三年の六月、更にかなりの数の大友旧臣が山口にやってきた。臼杵弥七郎《やしちろう》以下十五人、斎藤鎮久以下数十人、竹田津一木以下二十人がそれぞれの一族や従者をつれて豊後から詰めかけてきたのである。

毛利側の報告でこの知らせを聞いた秀吉は名護屋から大坂城に戻っていたが、知らせを受けると不機嫌《ふきげん》になった。

この頃からこの老人は喜怒哀楽の変化が烈《はげ》しくなり、淀君《よどぎみ》との間にあたらしく得た拾丸(後の秀頼《ひでより》)を猫可愛《ねこかわい》がりに可愛がるかと思うと、自分の意の通りにならぬ者はただちに追放した。

「豊後の卑怯者《ひきょうもの》めに何やら画策でもさせてはならぬ。山口は豊後にあまりに近い。吉統を九州より離れた地に移せ」

老人は拾丸を膝《ひざ》であやしながら、平伏している石田三成《みつなり》たちに眼《め》をやってさりげなく命じた。さりげなく――彼にはこの言葉がみじめな大友残党に引き起す更なる離別の悲しみなどまったく念頭になく、命令を出した後、

「おう、父《とと》の手を握ってあんよしてみよ」

と拾丸には情愛にみちた声をだした。

吉統は山口から常陸《ひたち》国の水戸に移されることになった。水戸の佐竹義宣《よしのぶ》の監視下におかれることになったのだ。

常陸国――

それは豊後育ちの侍や女にとってははるかに遠い陸奥《みちのく》の入口のように思われた。百人をはるかに突破して山口に移住した者たちも常陸国まで吉統を追って旅をすることはためらった。

お供下向の数は四十数人、ほかに女房衆。

「我ら、豊後に戻り御再起の日を鶴首《かくしゅ》致しておりまする」

残存する者は旅立つ同僚たちにそう惜別の言葉をのべたが「御再起の日」がいつ来るのか、まったく自信はなかった。

慶長三年八月。

待望の秀吉の死が孤独な吉統の耳にも届いた。

朝鮮の戦線に残った将兵は疲れ切り、飢えに飢えていただけにこの吉報に歓声をあげた。暴君の死によってやっと彼等はなつかしい故郷の土を踏むことができるのだ。

吉統の場合も――

この出来事は身を震わせるような悦《よろこ》びだった。絶望していた心に春の芽のように大友家再興の希望が小さいながらも萌《も》えた。

(余は決して父に劣りはせぬ)

宗麟にたいしてたえずコンプレックスを持っていた彼はふたたび豊後を取り戻すべき機会がきっと来ると思った。

新芽がふきはじめた慶長四年、三月、吉統はやっと許されて恩赦の身となった。

吉統は京に行き本能寺の一室をかりて、二番目の妻と共に暮した。彼の恩赦は後陽成天皇の乳母として仕えていたその妻の運動のお蔭でもあった。

だが秀吉の死という大事件のあと、京、大坂を中心に天下の形勢は次第に不穏になり、

「この天下にうまく乗ずれば」

と彼は岡城主中川秀成に三千石で仕えた田原紹忍に書き送って、

「大友家再興も夢ならずと存じ候《そうろう》」

また旧家臣、柴田統生にも、

「必ず宗巌《そうがん》（吉統）身上、しかるべく成り立ち候わば、追って一稜賀《ひとかど》すべく候」

と心のうちをうち明けている。

彼は彼なりにしきりに情報を集めた。徳川家康《いえやす》には嫡男《ちゃくなん》義乗があずけられた恩顧があったが、世話になった毛利輝元《てるもと》からもひそかに誘いがかかった。万が一、徳川家康に反抗する石田三成や毛利輝元たちの西国軍が挙兵をした場合、いずれに参加するべきか、吉統《よしむね》は吉統なりに計算したのである。

情報を集めると九州の諸大名は黒田如水と加藤清正が家康方についた以外は他の諸大名は日和見《ひよりみ》的な態度をとっていた。

西軍の総大将、毛利輝元は、

（あの大友吉統をこの際、使うべし）

という考えを抱いた。

日和見的な九州諸大名にたいしてやはりかつて六ヶ国守護の名家だった大友家が西軍についたとならば、その影響力は大きいと睨《にら》んだのである。

「早う早う豊後に参られ、豊後一国を切りとられよ、我ら軍船も兵もお貸し致すべし」

というのが吉統をつる餌《えさ》になった。

毛利輝元は吉統にとって「豊後に戻り、豊後をとり戻す」ことがどんなに大きな夢か、見ぬいていたのである。その弱味をついてきたのだ。

吉統は輝元の誘惑に乗った。彼には島津攻めにおける戸次川原の戦でみられるように軽挙妄動《もうどう》をする傾向がある。

豊後に戻れるというその一事のために吉統は大局も見ようとせず京都を離れた。ひとつには毛利輝元が悪賢く吉統の次男、正照（長熊丸）を人質として大坂城へ留置したためでもあるが、吉統自身にも「豊後、恋しや」という望郷の念が強かったからである。

安芸《あき》大島まで下ると輝元から軍船と百人の鉄砲隊を与えられ、彼は強い烈しい夏の海を、一日として忘れた事のない豊後に向って出発した。

船が周防《すおう》の上関《かみのせき》に寄港した時、一隻《せき》の小舟がこちらに必死になって漕《こ》ぎよせてきた。

小舟には数名の供をつれた見憶《みおぼ》えのある顔が乗っている。それは宗麟在世の頃、三老の一人だった吉弘鑑理《あきなお》の孫で三十七歳の統幸《むねゆき》だった。

統幸は吉統が追放されたあと筑後《ちくご》、柳川の城主で従兄弟《いとこ》にあたる立花宗茂《むねしげ》にあずけられていたが、東軍、西軍の戦いが迫ると、吉統の嫡男で徳川家の世話になっている大友義乗に仕えるため小倉から東上の途中、軍船の旗に大友の紋を見たのである。

「それは、如何《いかが》なものでござりましょうか」

吉統の話をきくと統幸は蒼白《そうはく》になって首をふった。

「御嫡男の御立場もようお考えくださりませ。それに黒田長政殿との御盟約もございます。敢《あ》えて申しあげれば、この戦は東軍に利がございます」

毛利家の兵にきこえぬよう、声を忍ばせて統幸は懸命に囁《ささや》いた。

「ものには勢と申すものがございます。今はその勢は徳川についております」

「さもあろう。だが毛利輝元殿はこの軍船と兵をお貸しくだされた。もし豊後に戻って東軍に味方致せば、輝元殿の軍勢はたちまちにして豊前、豊後に攻め入ろう。昔ならば兎《と》も角《かく》、今の大友家にはそれを迎えうつ兵もない」

吉統の不安そのものの表情をみて統幸は将たる器のない男と見た。この男はたとえ東軍に味方しても豊後一国をいつかは失うだろうと考えた。苦い諦《あきら》めの気持が胸にこみあげてきた。

「そこまで、お心をお固めならばやむをえませぬ、みどももお供仕《つかまつ》ります」

大友家に殉ずる気持で統幸は吉統の指示に従って豊前に戻ることとした。

入国の手引きは旧臣、田原紹忍と宗像鎮続《むなかたしげつぐ》がひそかに計画していた。吉統の軍船は九月八日の暗夜を利用して現在の国東《くにさき》町と安岐町の間、高崎表に近づいた。

既に大友領ではなくなったこの海岸線一帯は垣見家純《かきみいえすみ》や熊谷直陳《くまがいなおのぶ》など秀吉の家来の所領地となっていて、上陸地点から遠くない場所には豊後没収を歎《なげ》いて自決した木付（杵築《きつき》）一族の木付《きつき》城も遠望できる筈《はず》だった。

しらじらと夜が明ける頃《ころ》、吉統の少数の兵を乗せた船は人々に気どられぬように別府浦を通った。彼等は現別府市の立石に集結した。

（御家形《おやかた》が戻って参られた）

報はたちまち四方に拡《ひろ》がり、旧家臣たちに伝わると、その多くは続々と吉統の陣営に集ってきた。豊後をふたたびとり戻し大友家を再興することは旧家臣を形成する土豪や国人にとっても生活権にかかわる一大事だったからである。

まず国東半島を制圧すること。そのためには日出《ひじ》の北にある杵築城を陥《おと》さねばならぬ。

杵築城は当時、木付城と書いた。先にものべたように吉統追放に際して木付城主だった木付統直《むねなお》は絶望のあまり門司《もじ》の沖で割腹、入水している。

主人を失ったこの城は細川忠興《ただおき》が領したが城代として松井康之と有吉立行が管理していた。

九月十日、旧臣を集めて吉統軍の木付城攻略が始まった。海近く、川を濠《ほり》の代りとするこの城は守り堅くして二の丸は陥落したが本丸が頑強《がんきょう》に銃火をあびせて抵抗しつづけた。

戦いが長びけば中津から黒田長政の軍勢が救援に駆けつけてくる。

吉弘統幸とその弟、森津介、柴田統生たちは必死になって海に近い木付城の急な丘陵を駆けのぼったが柵《さく》の内から猛烈な射撃を受けて武将の一人、柴田統生が戦死をした。

その時、

「黒田勢が雨子山のあたりに見えます」

という物見の報告が本陣に入った。

黒田軍の先遣隊の背後にはかなりの数の敵軍が行進しつつあるとのことである。城兵と黒田軍とから攻撃を受けることを避け、吉統は城攻めの攻撃隊を一応、撤退させて別府北方の石垣原《いしがきばる》まで退かせた。

片側に別府湾が拡がる石垣原は大軍を迎えうつに恰好《かっこう》の狭さである。四千にちかい黒田軍総勢とその四分の一ほどの大友軍が戦うにはやはり地の利を利用せねばならぬ。

吉統の本隊は九百、これは田原紹忍と共に立石村に陣どった。

吉弘統幸は現観海寺のあたりに右翼隊として布陣、宗像鎮続が御堂ヶ原（現別府市堀内のあたり）に左翼の防備をかため、木付、日出をへて前進してくる黒田の兵を待ちかまえた。

十三日、早朝、彼等は石垣原の実相寺山に陣どった。

午前十時、まず吉弘統幸が三百の兵を率いて敵陣に突入していった。

昔日《せきじつ》、大友軍は万をこえる大軍を動かす動員力を持っていたが、今はその力はない、しかし大友家再興の機会はこの日を除いてはないのだ。

実相寺の丘から駆けおりた黒田の先鋒《せんぽう》隊は木付城の城兵も加えて、土煙をあげて迫る吉弘兄弟の軍勢とぶつかり、もみあい、血みどろの白兵戦を開始したが、必死の大友軍の攻勢には彼等は算を乱して敗走した。

これを見て黒田方は数百の援兵をくり出してくる。大友側は吉弘兄弟に宗像鎮続の軍勢もまじり一時間にわたって激戦が続いた。

黒田軍はまたしても退いたが、多勢の後続部隊を用意してきた黒田長政は井上九郎右衛門を将として千人の援軍をくり出した。

朝から戦いつづけている大友軍のほうは疲労困憊《こんぱい》しきっている。黒田軍は次から次へと新手を出撃させた。

「引き返せ」

大友吉統は蒼《あお》ざめて伝令を吉弘、宗像に送ったが両将とも戦死覚悟と答えてこの命令に応じない。

黒田軍には本隊まで到着し、その三千の大軍がわずかな吉弘、宗像の部隊を四方から包んで攻めたてている。勝敗は既に明らかだった。

吉弘統幸は戦死の時は今と決心した。

彼は黒田長政軍のなかで指揮をしている井上九郎右衛門の姿を見つけた。両者は共に島津攻めの折に知りあった仲である。

「一騎打ち、お願い申す」

自分は敗れるだろう。それは栄光のあった大友家の滅亡の瞬間なのだと統幸は思った。そして槍《やり》を握りしめ馬腹を蹴《け》って、驀《まっしぐら》に井上の馬に突っこんだ。井上は十字槍でこれを防いだ。双方の槍はたがいに相手を刺したが統幸のそれは井上の固い具足を貫くことができず、井上のそれは統幸の脇腹《わきばら》をえぐった。

固唾《かたず》を飲んで一騎打ちを見ていた黒田勢から勝利の歓声がひびいた。それは吉弘統幸の最《さい》期《ご》を目撃した叫びでもあった。

歓声は大友の陣営にも聞えた。

瞬間、大友吉統の体がよろめいた。彼はこれによって大友家が遂《つい》に終ったことを知ったのである。時間は午後六時。

「余の代にて、豊後の名家、大友は遂に亡《ほろ》びるか」

と吉統はそばにいた田原紹忍に自嘲《じちよう》するように言った。

彼が自刃《じじん》しなかったのはその紹忍に止められたという説と黒田長政が降伏を奨《すす》めたからという説がある。

いずれにせよ、大友の残党は最後の栄光を求めてよく戦った。彼等が敗れたあと石垣原には主人を失った馬が累々《るいるい》たる死屍《しし》や黒煙の間を駆けまわり、別府湾の海は晩秋の夕映えに光っていた。

出羽国、湊《みなと》城——秋田実季《さねすえ》の城である。その城に吉統は幽閉された。

西軍に味方しながら死罪を受けなかったのは黒田長政が家康に助命を乞《こ》うたからだと言われているが、家康にとっても既に再起の力など全くない吉統を殺す必然性を認めなかったからだろう。

豊後育ちの吉統は秋田の辛《つら》い冬をここで二度送る。

ふかぶかと積る雪を城の窓から見ると彼は朝鮮の冬を思いだす。それは彼の胸を刃のようにえぐる。鳳山《ほうざん》城の放棄、雪のなかの逃亡、それがすべて大友家滅亡の原因だったのだ。彼は雪を見たくなかった。

山口ではそれでも家臣たちが次々と集ってくれ、京から妻まで戻ったが、ここでは妻もなく三人の家来が身のまわりの世話をするのみである。

「頼るものは神《デウス》のほか、この世にあろうや」

父、宗麟の言葉が不意に吉統の記憶に甦《よみがえ》った。彼はその日から長い間、忘れていた祈りを一語一語、思い出しながら祈りはじめた。それによって父がそばに存在してくれるような気がした。

「勝敗は戦の習わしゆえ、やむをえぬもの。今はただすべてを諦め、ひたすらに神《デウス》に心を向けよ」

父はそう言っているようだった。

二年後の五月、彼をあずかる秋田実季は常陸国の宍戸《ししど》に転封となる。秋田家にとって重荷である吉統もやむをえず、常陸に連れていかれた。かつて彼はこの宍戸に近い水戸で秀吉によって幽閉されたことがあった。

吉統の晩年については切支丹《キリシタン》側の記録しか語るものはない。

それに従えば――

晩年の吉統は父宗麟と同じように切支丹の祈りと苦行とのなかで毎日を送っていたようである。

この時「妻子もなくただ三人の家臣ありしのみ。神父、信徒の布施をうけ、その日その日を送り」とパジェスの「日本基督教史」はのべている。貧しい憐《あわ》れな生活だった。ある意味でそれは津久見《つくみ》における宗麟最後の日々に似ていたが、それよりもはるかに孤独で悲惨だった。

「わが罪、何人より重ければ、尋常ならざる苦行も行わざるべからず」

と吉統は呟《つぶや》いていたそうだ。

「粗悪なる衣をまとい、縄《なわ》をもって身を縛し断食を行い、杖《つえ》をもって自らを罰したればこれがために衰弱し……」

とクラッセの「日本西教史」も書いている。

おそらく――

その苦行のなかで吉統ははじめて父、宗麟の生涯《しょうがい》の問題を知っただろう。自分と同じように武将にはむかなかった父親が必死になって人生のなかで求めたものが何であったかを考えたにちがいない。

「父上よ」

と彼はかつて感じなかった親しみをもって宗麟の顔を心に甦らせ、父の死後はじめて言いようのないなつかしさを感じた。

そして宗麟と同じように熱病にかかり、次第に病み衰え、幽閉五年後、行年、四十八歳で神にその魂を返した。父、宗麟と同じように、父、宗麟をやっと理解しながら……。

解説

上総英郎

1

この作家が、いつか書いて然《しか》るべきテーマをもった小説がここにある。気取った言い方をするつもりはないが、もっとも人を得たテーマと言えるであろう。この国にもかつて、切支丹《キリシタン》の世紀とも呼び得る時期が存在したのは周知の事実である。この時期に於《お》けるキリスト教に対する拒否の真実を問題にするには、結局なんらかの意味で、ナショナリズムを超えた公正な判断が必須《ひっす》とされるからである。

東と西の思想的な激突、このテーマはこれまでにもかなり度々近代小説に恰好《かっこう》なテーマを呈してきたが、素材を充分にこなし切れているとは言えなかった。

結局この時代は、日本が西欧を拒否して幕を閉ざすに到《いた》るのだから、結果的に言って国民感情に身をまかせた自己肯定がはたらいて判定を左右しがちになるのである。世界から日本だけを切り離して独自なものとして眺《なが》めたがる傾向が、従来は圧倒的であった。せいぜい我我の近代文学史には長与善郎《ながよよしろう》の『青銅の基督《キリスト》』がこの切支丹の世紀を描いた作品としては良心的なものとして数えられるだけであった。エキゾティシスムや趣味的な作品は数多かったが、つきぬけたメスを入れた作品は少なかったと記憶する。個人の生き方の問題としては取り上げられた例はあるけれども、文明批評的な公正な視点が占めた割合は非常に稀《まれ》であった。

この小説では主人公である大友宗麟《そうりん》の少年時代——十三歳の折からの成長過程が描かれている。この男を襲う数々の不安、一言で言えば人間に対する不信の様相のすべてを作者は探ろうとしているようである。

大友宗麟は、不変のものを慕うあまりに、周囲のすべてを信じられなくなった孤独な領主として描き出されている。

彼の不安は、孤立せる幼少期がすでに存在の根を形成しているようである。父の冷淡さ、父に愛されていないという自覚は、亡母に対する思慕をつのらせ、嫡男《ちゃくなん》としての彼の立場をいよいよ窮屈な、居心地の悪いものにさせる。

嫡子として位置づけられている大友宗麟にとっては、身分を保証されないことの不安は想像以上に強いものだったに違いない。作者は宗麟の実存的不安を、抉《えぐ》るように描いている。

序章に続いて大友宗麟の幼年期への回顧をもって始められるこの作品は、幼少時からの一貫した居心地の悪さを強調する結果となって効果的である。

《あのお方が亡《な》くなられた時から、何もかもが変った》

若かった宗麟はそんな風に亡き母のことを偲《しの》ぶ。

父があてがった入田親誠《にゅうたちかざね》もまた、冷徹な男としての肌《はだ》の冷たさを見せる。この守役は武辺の人らしく、宗麟に次のような事を言う。

「……武辺の御嫡男にとりましては連歌など、所詮《しょせん》、公卿衆《くげしゅ》の真似《まね》ごと」と戒め「もし事が起りました時は、わが身を守るのは御自身でございますぞ」と忠告する。宗麟はこの言葉に「妙な暗示」を感じるが、これが後に起る事件――二階崩れの変の伏線となるのだ。

2

父と義母と異母弟が殺された二階崩れの変――その事件が存在しなかったら、彼は嫡男の位置も危うくなっていたかも知れないのだが、ともかくも彼は大友家の後継者の位に就くことができた。

《父の死が宗麟に大友家後継者の地位を与えたのである。その意味で彼は、津久見《つくみ》、田口の両名（父への叛逆者《はんぎゃくしゃ》）の行為と決して無関係ではなかった。胸をみたしている解放の悦《よろこ》びと満足感のなかには父の死を悦ぶものがかくれていた。

それに気づいた時、宗麟は何ともいえぬ嫌悪《けんお》を胸の奥底に感じた》

父の圧迫感――それが解放された時、自分自身への嫌悪が芽生える一方、解放感も味わうという両面感情、互いに反発する不均衡が自分のうちに潜在するという自覚、おそらく宗麟には自己の内なる渾沌《こんとん》を他者の上にも重ねて見ている。従って自己の信じられぬ彼は、同様に他者にも強い不信の念を抱いている。内なる渾沌の自覚は治者にとっては、自己にとっての最大の危機を育てることになるはずである。

《今度《こたび》の出来事で誰も信じられぬと思ったが……他人《ひと》だけでなく、この自分も信じられぬではないか》

お守役であった入田親誠の首を謀叛人《むほんにん》として見る場面に注意したい。

《親誠の首を見た宗麟は、長い間、自分を教育してくれた男の髪ふり乱し蠟色《ろういろ》に変った死顔に、人間への不信を改めて感じた》

作者は寡黙《かもく》に語っているが、この時の衝撃も強いものだったに違いない。叛逆者の確認ともいえる事態にあたって、それが事もあろうに彼の守役であったという事実の冷厳さには想像を絶するものがあるだろう。

《二階崩れの変以来、宗麟の心には人間不信の感情がうす黒い膜をはっている。信じていた腹心の家臣に父も殺されたが、それ以上に宗麟を教育してくれた入田親誠までがひそかな裏切工作をしていた事実が「誰も信じられぬ」という意識を胸中に作りあげたのだ》

他人への不信は、自己への不信に由来している。いや自己への不信はむろん他人への不安を増殖させる。この相互反射作用がこの作家の心理分析への興味を刺戟《しげき》しているのだと思う。

作者は大友宗麟の心象に、あらゆる可能性を見出《みいだ》して追究を開始している。光に向おうとするために、人間性のもっともどす黒いものへの可能性、そういう志向へとむかわずにいられぬひとつひとつを開示しようとする。その結果宗麟の心の振幅は大きく、彼の家臣や妻子たちの性格造型に大きく拡《ひろ》がりを見せることとなった。大友宗麟という人物はこの時期の日本の混迷せる典型ともいえる。

折しも足利《あしかが》将軍家は威信昔日《せきじつ》に比して著しく衰え、戦国の世に突入している。下剋上《げこくじょう》という上下の秩序が乱れに乱れた現象が世を覆《おお》っているのだ。

《この下剋上の世に》

宗麟の呟《つぶや》きは、世の混乱を反映した者の独白であるだけに、なまなましさを含んでいる。読者である我々を、じかに下剋上の世の中である当時に直面させるほどの説得力を備えている。下剋上とは、無論のことだが、上下の秩序が無化した状態のことである。この時代、上下の縦割り社会秩序が無化するという事態は、それまでの社会秩序から推しても、ただならぬ混乱状態が招来されたことになる。

大友宗麟は豊後、肥後の守護職をつとめる名門として父祖の代から身分を保証された人物である。彼の代になっての脅威を、彼は理不尽な事実として受け止めるのも当然に違いない。おそらく彼の覚える当惑や不信の念は、平凡な人生の途上にある人間の脅威や不信の念とは大きく隔たっているに違いない。平坦《へいたん》なコースを約束されて当然の人生が、思わぬ嶮岨《けんそ》な隘《あい》路《ろ》を前に佇《たたず》んだわけである。

陶晴賢《すえはるかた》や毛利元就《もとなり》などの山口からの脅威、また後にではあるが薩摩《さつま》の島津からの脅威、敵は続々と生じてくるのである。

3

彼は何をおそれているのか？　彼を真におびやかしているものの正体は何なのか？　きわめて若年の頃《ころ》から、彼はひとつのおそれを抱いている。それは死に際しての疑念であった。

大内義隆《よしたか》の死の時を見届けた持明院基通《もとみち》に、宗麟は自決に臨んでの義隆の「境地」はいかなるものであったかを問う。果たして無念無想の境地に人は到り得るものか。基通は「わかりませぬ」と答える。「いかなる人もその心の奥の奥底は他の者たちに到底、窺《うかが》うことはできませせぬ」

《結局、基通の話からつかめたことは宗麟自身が同じように死地に追いつめられ、死なねばならぬ時、おそらく恐怖のため自暴自棄の状態になるだろうということだけだった。狂乱して敵と闘うか、錯乱して自らの胸を刀で刺すとしても、それは無念無想の心を以《もっ》てではないこと、それを宗麟は感じた》

生の不安は死の不安によってもたらされる。もちろんその逆も言い得るが、おそらく両者は一体のものとしてひそかに潜在化されているのではないだろうか。

大友宗麟の支配欲、征服欲は多分にエロティックなあらわれかたを見せる。滅ぼした敵将の奥方に対する性的支配は、おそらく生の自覚を徹底して発揮し、そのことで生者としての自己確認を行おうとするものである。無論その根底には宗麟自身の死への不安が、濃厚に潜んでいる。死者を敵として意識する時、宗麟の生の自覚はそれを確実にするための嗜虐《しぎやく》的な性的蹂躙《じゆうりん》を犯し、おそらく武将たちの妻は憎しみに燃えつつも凌辱《りようじよく》に甘んじたか、あるいは屈辱に自刃するか二つの引き裂かれた方法しか残されないであろう。清盛に対する常盤《ときわ》御前の例は、戦国の世には、ほかにも存在したことであろう。トロイ戦争後におけるトロイの王妃や王女たちの例は、戦乱の世の常であったことだろう。

迷妄《めいもう》や妄執は束《つか》の間《ま》の幻影に囚《とら》われる状態であるとも言える。だがその根幹は意外に奥深くに存在しているはずである。人はこれを迷いと呼ぶが、迷いの底にわだかまるものは死への懐疑であり、自分をゆさぶるえたいの知れぬ魔的なものへの恐怖であろう。確実なものが生の実態にしか有り得ないならば、それに頼ることに生の確認を得るより仕方ないではないか。宗麟の迷いは死すべき運命の自覚から生じている。つまり彼は死におびやかされているのだ。

彼は長い間迷っている。切支丹に心ひかれながらも、領主としての自分のありかたにこだわり続けている。一介の武士であったらすぐさま飛びこんだかも知れぬ切支丹の道に彼は迷いつづけている。

一方では領主としての儒教的な治国平天下の道を守ろうとしながらも、どこかにはみ出す部分を持っている宗麟は、心のゆれ動きが烈《はげ》しいだけにいつしか家臣たち、あるいは縁者たちや息子たちに眼《め》に見えぬ波動を及ぼさずにはいない。

作者は視点を変えて修道士や司祭たちの眼を通して宗麟およびその周囲を多角的に映し出そうとするが、その結果作中にスケールが拡がり、登場人物のそれぞれが、生きて動いているように見える。前半に登場するフランシスコ・ザビエル、宗麟の弟晴英《はるふさ》、正室の奈多《なだ》御前矢乃《やの》、医師和田強善、傲慢《ごうまん》なところを持つ宣教師カブラル、それらは宗麟との対応において生き生きと描かれている。

4

後半において、戦国の時代絵巻を描こうとする作者の意図は、ますますスケールを拡げタッチも力強くなって行く。

宗麟はこれまで一目置き続けてきた正室奈多御前矢乃と離別するが、矢乃の傍に仕えてきた侍女に目をとめていたのは、矢乃と結ばれる以前から、亡母に似た女としてであった。このあたりにモラリスト宗麟の片鱗《へんりん》が見えるのを見逃すわけには行かない。宗麟をして奔放な行動に走らせなかったのは、おそらく儒教道徳に基づくものであると同時に、彼の育ちのよさでもあったろう。

《もう自分は、ないだ海のように波だたぬ晩年を送ってもいいのではないか……》

隠忍自重ということばがあるが、矢乃との結婚生活はまさに宗麟にとってこの言葉にふさわしいものであった。切支丹への抑制した関心、南蛮パードレたちへの厚遇——それらに矢乃はことごとく反対を唱えてきた。宗麟にとって妻が与えてきた重圧は、あるいは彼の嗜虐趣味にかかわりがあったとも思われる。一方向から加えられるストレスが、他方向にむかってはみ出すという性的なメカニスムを明かすものと思われる。

刑死者イエスを拝むという習慣を奇異に思う宗麟の心理は『侍』以来のテーマであり、なべてこの作品は、遠藤周作の時代小説のなかで、総括的なメトードを表現しようとするものであると思われる。だが彼をひきつけたのは、ほかならぬ罪性の自覚であった。

受洗以後の宗麟はこの罪性認識がいよいよ深くなって行ったようである。

作者は宗麟の死後、嫡男の義統《よしむね》（後に吉統と改名）を追い続ける。宗麟が自覚を深めるに到る罪の自覚を、嫡男に托《たく》したかたちで作者は確認し、追体験を強調しようと努めているようである。

《「父上よ」

と彼はかつて感じなかった親しみをもって宗麟の顔を心に甦《よみがえ》らせ、父の死後はじめて言いようのないなつかしさを感じた》

人間の一生は形こそ違え、その行動パターンにおいてほとんど軌を一にしている。恐らく作者はそのことを言いたかったのではないだろうか。

（一九九五年十一月、文芸評論家）

この作品は平成四年五月新潮社より刊行された。

遠藤周作著
白い人・黄色い人
芥川賞受賞

ナチ拷問に焦点をあて、存在の根源に神を求める意志の必然性を探る「白い人」、神をもたない日本人の精神的悲惨を追う「黄色い人」。

遠藤周作著
海と毒薬
毎日出版文化賞・新潮社文学賞受賞

何が彼らをこのような残虐行為に駆りたてたのか？　終戦時の大学病院の生体解剖事件を小説化し、日本人の罪悪感を追求した問題作。

遠藤周作著
留学

時代を異にして留学した三人の学生が、ヨーロッパ文明の壁に挑みながらも精神的風土の絶対的相違によって挫折してゆく姿を描く。

遠藤周作著
月光のドミナ

人間の心にひそむ暗い衝動や恐怖を誠実な筆致で描く初期短編集。表題作ほか「イヤな奴」「あまりに碧い空」「地なり」など10編。

遠藤周作著
影法師

神の教えに背いて結婚し、教会を去っていくカトリック神父の孤独と寂寥——名作『沈黙』以来のテーマを深化させた表題作等11編。

遠藤周作著
母なるもの

やさしく許す〝母なるもの〟を宗教の中に求める日本人の精神の志向と、作者自身の母性への憧憬とを重ねあわせてつづった作品集。

遠藤周作著

沈黙

谷崎潤一郎賞受賞

殉教を遂げるキリシタン信徒と棄教を迫られるポルトガル司祭。神の存在、背教の心理、東洋と西洋の思想的断絶等を追求した問題作。

遠藤周作著

死海のほとり

信仰につまずき、キリストを棄てようとした男――彼は真実のイエスを求め、死海のほとりにその足跡を追う。愛と信仰の原点を探る。

遠藤周作著

侍

野間文芸賞受賞

藩主の命を受け、海を渡った遣欧使節「侍」。政治の渦に巻きこまれ、歴史の闇に消えていった男の生を通して人生と信仰の意味を問う。

遠藤周作著

十一の色硝子

歳月、老い、人生……深々と心に刻まれる生の断片。生きることの重みを、人生のうしろ姿を、しみじみと心にしみこませる11編。

遠藤周作著

スキャンダル

数々の賞を受賞したキリスト教作家の醜聞《スキャンダル》！繁華街の覗き部屋、ＳＭクラブに出没するもう一人の〈自分〉の正体は？　衝撃の長編。

遠藤周作著

王国への道

―山田長政―

シャム（タイ）の古都で暗躍した山田長政と、切支丹の冒険家・ペドロ岐部――二人の生き方を通して、日本人とは何かを探る長編。

遠藤周作著

イエスの生涯

国際ダグ・ハマーショルド賞受賞

青年大工イエスはなぜ十字架上で殺されなければならなかったのか——。あらゆる「イエス伝」をふまえて、その〈生〉の真実を刻む。

遠藤周作著

キリストの誕生

読売文学賞受賞

十字架上で無力に死んだイエスは死後〝救い主〟と呼ばれ始める……。残された人々の心の痕跡を探り、人間の魂の深奥のドラマを描く。

遠藤周作著

彼の生きかた

吃るため人とうまく接することが出来ず、人間よりも動物を愛し、日本猿の餌づけに一身を捧げる男の純朴でひたむきな生き方を描く。

遠藤周作著

砂の城

過激派集団に入った西も、詐欺漢に身を捧げたトシも真実を求めて生きようとしたのだ。ひたむきに生きた若者たちの青春群像を描く。

遠藤周作著

悲しみの歌

戦犯の過去を持つ開業医、無類のお人好しの外人……大都会新宿で輪舞のようにからみ合う人々を通し人間の弱さと悲しみを見つめる。

遠藤周作著

真昼の悪魔

悪には悪の美と楽しみがある——大学病院を舞台に、つぎつぎと異常な行動に走る美貌の女医の神秘をさぐる推理長編小説。

遠藤周作著

王妃マリー・アントワネット
（全二冊）

苛酷な運命の中で、愛と優雅さを失うまいとする悲劇の王妃。激動のフランス革命を背景に、多彩な人物が織りなす華麗な歴史ロマン。

遠藤周作著

女の一生
一部・キクの場合

幕末から明治の長崎を舞台に、切支丹大弾圧にも屈しない信者たちと、流刑の若者に想いを寄せるキクの短くも清らかな一生を描く。

遠藤周作著

女の一生
二部・サチ子の場合

第二次大戦下の長崎、戦争の嵐は教会の幼友達サチ子と修平の愛を引き裂いていく。修平は特攻出撃。長崎は原爆にみまわれる……。

遠藤周作著

ファーストレディ
（上・下）

代議士とその妻。弁護士と女医の夫婦。二組の夫婦の人生を軸に、戦後日本の四十年を描いた社会派エンターテインメント。

遠藤周作著

冬の優しさ

留学した青年時代から今日までの〝私の歳月〟と〝人生の出会い〟をふり返りつつ、人間と愛と生と死を優しく綴った愛のエッセイ集。

遠藤周作
佐藤泰正著

人生の同伴者

佐藤の真摯な問いに答え、遠藤周作が、心に刻まれた記憶や体験あるいは主要な自作を通して、文学、思想、信仰、生活のすべてを語る。

王《おう》の挽《ばん》歌《か》（下）

新潮文庫　え－1－34

平成八年一月一日発行

著　者　遠《えん》藤《どう》周《しゅう》作《さく》

発行者　佐藤亮一

発行所　株式会社 新潮社

郵便番号　一六二
東京都新宿区矢来町七一
電話 編集部（〇三）三二六六―五四四〇
　　 読者係（〇三）三二六六―五一一一
振替　〇〇一四〇―五―八〇八

価格はカバーに表示してあります。

乱丁・落丁本は、ご面倒ですが小社読者係宛ご送付ください。送料小社負担にてお取替えいたします。

印刷・大日本印刷株式会社　製本・加藤製本株式会社

ISBN4-10-112334-9 C0193